これから詩を読み、
書くひとのための

詩の教室

松下育男

思潮社

これから詩を読み、書くひとのための詩の教室

目次

I　詩を書くひとに話しておきたいこと

II

詩の話をしよう 1

Ⅲ　詩の話をしよう 2

Ⅳ　詩につながる考えごと

写真＝美東京子　組版・装幀＝二月空

Ⅰ　詩を書くひとに話しておきたいこと

だらだら　うろうろ　わくわく

だらだら

会社を辞めるまで、四十三年間勤め人として過ごした。思い返すと、勤め人ってやっぱり容易じゃなかった。いつも何か失敗をしでかすんじゃないかって恐れていたし、仕事の期限もこちらの気持ちとは関係なしにやってくる。やっと土曜日になっても、土曜日の朝って、まだ仕事をしていたときの緊張状態が続いているから早朝に目が覚めてしまうし、休みの頭にはなっていない。ようやく日曜日の朝くらいになると、頭も体も休みの状態になる。だからよく眠ってしまうし、目が覚めても蒲団のなかでいつまでもだらだらとしている。

だらだらした頭で、ふと明日の会社の予定が思い出されて、ああそうか明日は朝イチでプレゼンテーションだと思い出す。外資系の会社だから基本プレゼンは英語。資料は金曜の夜にまとめてはあるものの、蒲団のなかで月曜のことを思うと、すごく面倒に思えてくる。外国人の前に行って、下手くそな英語で説明なんかしたくない、ちゃんとできるわけがないと思えてくる。そうなると、朝のだらだらした気持ちは一気に冷めて、せっかくの休みが台無しになる。気持ちは沈んで、ただもう月曜の朝を待つだけの日になってしまう。

月曜になって早起きをして会社に向かう。とうとうそのときがくると、不思議なことにそれなりに仕事をこなしている自分がいることに気がつく。蒲団のなかで想像していたよりも、実際に起き上がって自分の脚で歩いて、自分の声で話をしてみれば、結構できる自分がそこにいる。つまり、だらだらした状態のときの自分には、自分の価値がわからない。自分の能力とか才能って、ただ頭で考えてわかるものじゃない。

目は外を向いているから、人のことはよく見える。すごいと感じる。人の詩はよく見える。うまいと思う。こんなにうまい詩、自分には決して書けない。でも、そう感じている自分と、いざ詩を書いている自分は別物なんだ。夢中になって書いてみて、あとで読み返すと、そうか、こんな詩が書けたんだっていうことがある。自分の能力ってわからない。わからないから努力ができる。

自分の詩がダメだと感じている人ってたくさんいる。むしろそういう人のほうが多い。詩を書いていて自分がダメだと思っている人のことがぼくは嫌いじゃない。根が真面目だからそう思うんだし、そう思っている人がいつかすぐれた詩を書くようになるんだと思う。でも、そんなことを言っても、詩を書いているのに自分の詩がダメだって感じていることは苦しいし、つらい。だから、自分の詩がダメだって感じること自体は悪いことではないと思うけど、それも程度の問題。人って思っているより弱くできている。こわれものなんだ。

会社にいるときはもちろん、家族のなかでも、友人関係でも、つらいことってたくさんあるのに、どうして好きで書いているはずの詩に向かっているときまでつらい思いをしなくちゃいけないんだろう。自分を追いつめなきゃならないんだろう。あるところまで追いつめたら、そこでそっと手をほどいてあげるようにしたい。

うろうろ

自分の詩がダメだって感じるその理由は、もちろんいろいろあると思うけど、そのうちのひとつは、いつも同じようなことを書いてしまうことじゃないかと思う。いつも同じ発想で、同じ語彙で、同じ展開の詩ばかり書いている。そういうのしか書けない。もっと別のものをと思っても結局はいつものパターンに戻ってしまう。でも、同じ頭で同じ言語を使って書いているんだから、同じような詩が書けるのって当たり前だと思う。むしろ同じと感じられるそういう場所を見つけたんだって、そのことを誇りに思えばいい。

いつも帰ってゆく詩の書き方を獲得している、うろうろできる場所がある。そのことをほめてあげる。同じような詩が書けることに感謝をする。そうしているうちに、真剣なうろうろが、いつか詩に深さを与えてくれるようになる。

わくわく

ぼくの娘がまだ小さかった頃に、多摩動物園に連れて行ったことを時々思い出す。動物園の門へ向かう道を歩いているときに、小さな手でぼくの手をしっかりと握っていた。あんまりおしゃべりな子じゃなかったけど、突然、「パパ、ワクワクする」って言った。ぼくはその言葉を聞いて、そうか、ワクワクするって日本語があったんだって思った。どれだけたくさんの詩を書いたあとでも、新しい詩を書こう、書きたいという衝動を、いつもわくわくと感じていたい。単純なことです。

繰り返すけど、自分の詩がダメだと考えることは悪いことではない。でも、限度がある、追いつめすぎると自分がダメになってしまう。好きで書いている詩にいじめられる必要はない。もっと抜け穴を作って、詩とよい関係を持つようにする。身勝手でわがままな、詩の友人になろうよということです。

2017.12.3　横浜

なぜ詩を書くか

今日は「なぜ詩を書くか」という話。

一週間くらい前にSNSで、「次の詩の教室での話は、なぜ詩を書くかというテーマにしよう」と書いて、「参加する人もそれについて話してくれると嬉しい」と書いた。そしたら谷口鳥子さんから「わたしはものを作りたいから書いている」と返事がきた。それも正直だなと思って、では、ぼくの場合はどうだろうって考えた。

物事って一歩引いて、それ自体を受け止めるようにして考えながら取り組むのと、何も考えずにやるのとでは、おのずと違うものができるんじゃないかと思う。なんだか詩が書けちゃうからただ書いているっていうのも、楽しいならそれでもいいけど、でも「どうして詩なんか書くんだろう」と思いながら書く詩は、やっぱり深さが違う。どうして詩を書くのかという切ない問いが、しっかりと詩のなかに組みこまれる。

もともと詩を書くという行為はすごく変なものだと思う。紙や画面に向かって、自分の考えていることや思いつきを書きとめるって妙な行為だよね。なんでそんなことを自分はしているんだろうという、その思いにしっかりとした理由をつけてあげる。

では、ぼくの場合はなぜ詩を書いているんだろう。二つの理由がある。

一つめは、「質問があったから」
二つめは、「帰りたかったから」

ちょっとわかりづらいと思うから説明をします。

質問があったから

ぼくは、詩というのは疑問形の文学だとつねづね思っている。疑問形が似合う文学。ひたすら問い続ける文学。幼い頃からぼくは疑問ばかりが湧いてくる子どもだった。

なぜ世の中はこんなふうになっているのか。
なぜ自分というものがわざわざいて、他の人とは違うのか。
なぜ成長というものがあるのか。
なぜ人の理解の届かない永遠なんてものがあるのか。

なぜ独りでいると心細くなるのか。
なぜたかが言葉がこれほど深く刺さってくるのか。

毎日毎日、質問ばかり湧き出てきた。でも、誰もそんな質問に答えてくれない。どうしたらいいんだろうって思いながら過ごしていた。で、あるとき、質問をすること、その質問を研ぎ澄ますことで、答えの端っこに触れるしかない、間違って触れてしまうしかないと思った。詩は、そんな質問や疑問のちょうどいい器になる。前置きもいらない。書きたいことをそのまま直接書ける。面倒な手間がかからない。だからずっと詩を書いている。

帰りたかったから

ぼくは子どもの頃から詩を書いている。七歳のときだとすると、もう六十年間詩を書いている。でも、それは嘘。だって何度もそこから離れたから。背を向けたから、逃げたから、蒸発したから。

詩人って、ずっと書き続けている人と、そうでない人がいる。ぼくは間違いなく後者。書いたり書かなかったりしてきた。じゃあ、なぜ詩から逃げたのかというと、その理由は簡単。実生活があったから。ぼくは器用じゃないし、能力もそんなにないから、時々実生活に押しつぶされそうになる。精一杯に生きようとすればするほど息苦しくなる。片手間に詩を書くなんて、とんでもないことだった。

　では実生活ってなんだというと、ひとつは会社。ぼくは幸運にも明るくて大きな会社に勤めていたし、同僚からもまっとうな扱いを受けてきたけど、でも、仕事となるとそんなに楽じゃない。仕事って、だいたい自分の能力のちょっと上のものが与えられるから、失敗もするし、緊張もする。あんまり緊張して、初めてのプレゼンの前日に、全身に蕁麻疹が出たこともあった。恥ずかしいので首が見えないような恰好で会社に行った。

　会社には、面倒な人間関係だってある。管理職だったとき、十人ほどの部下を持ったことがある。そのうちの一人が会社をやめるということで、数日後、「送別会をやろうよ」とぼくが言うと妙な雰囲気になった。「じつは、送別会は終わってるんです」って言われたのはそのあとのこと。つまり、うっかりぼくに言い忘れたのではなくて、ぼくに知られないようにこっそりやってしまっていたわけ。それまでぼくは、自分がそんなに嫌われているなんて思いもしなかった。正直、すごく落ちこんだ。仕事をしているといろんなことがあって、ぼくも一時、つらくて心療内科に行っていたこともあるけど、仕事を続けるって、どんなにすぐれた会社にいても容易なことじゃない。

　実生活のもうひとつは、私生活。子どもの頃は、心優しく振る舞っていればそれで済んだ。でも大人になると、それだけでは済まなくなる。人と人とが真面目に向き合うと、お互い思いやっていたとしても、どうしても感じ方や考え方に違いが出てくる。ちょっとした違いが、話をしているうちにすごく大きな違いになってくる。パートナーを持つことも、子どもを育てることも、ホームドラマのようには簡単じゃない。一人でいたときに思っていた「優しさ」なんて、すごく薄っぺらなものだったことがだんだんわかってくる。「優しい」とか「支える」なんて言葉は簡単に使っちゃいけないと思い知らされる。そうやって私生活に精一杯になっていると、あとで詩を書こうなんて思えなくなる。

でも、そういう会社のことや私生活のことが一段落すると、そのうちまた詩に戻ってくる。でも、なぜ戻ってくるんだろうって思うわけ。なぜわざわざ詩に戻るんだろう。だから、ぼくにとっての「なぜ詩を書くか」という疑問は「なぜ詩に戻ってゆくのか」という疑問と同じ。なぜ詩が戻る場所、帰ってゆく場所なんだろう。

それは、詩はいつまでもぼくを待っていてくれるから。すごく失礼な態度で逃げたのに、後ろも見ずに立ち去ったのに、詩は待っていてくれる。十年だって二十年だって、実生活にあたふたしているぼくのそばで膝を抱えて待っていてくれた。何も要求をしない。責めることもない。放っといてくれる、許してくれる。そんなものは、他にない。いつだって戻る場所、帰る場所でいてくれる。詩は実生活とは別の、もうひとつの人生。

久しぶりに帰ってこられた人生だから、命をこめて書く。なぜ詩を書くか。「質問があったから」それから「帰りたかったから」。今日の話はこれで終わりです。

2018.2.12　横浜

少し話し、少しはみ出し、少し伸び上がる

今日は「少し」という話です。

題は「少し話し、少しはみ出し、少し伸び上がる」。少しだけが大切だよという話。一気に何かを変える必要はない。少しずつでいい。少しずつが強い。無理に自分を追いつめない。かといって現状にゆったりともたれかかっていては、それもダメなんじゃないかという話。

少し話し

ぼくはよく教室で「自分の声を聞こうよ」と言っています。自分が何かを発言してそれを自分の耳を通して聞くことは、発言しないで心のうちで思い浮かべていることとは違う。

昔の話だけど、ひとつ思い出すことがある。それはある詩人の家に遊びに行ったときのこと。その人が「松下さん、これ新しい詩集」って言って詩集を手渡してくれた。もうすでに評価の

定まっている人で、ぼくはありがたくいただいた。で、目次を見ていたら、「この詩ね、松下さんがいいって言っていたことがあったから、それで詩集に載せた」と。そう言えばそんなことあったかなとぼくは思い出した。ただ、その言葉は会話のなかの本当に目立たない一瞬の言葉だった。

そのときに思ったのが、「あんなに評価の高い詩人でも、自分の詩について何かを言ってもらった記憶は、彼のなかに大切に受け止められているんだな」ということ。ましてほとんどの詩人には、自分が書いた詩に誰かが何かを言ってくれるなんてことは滅多にない。もし、どこかで誰かがいいなと思ってくれていたとしても、それは君のところには伝わってこない。

この教室でも、あるいは帰り道でもいいから、「ああ、この詩はわかるな、この詩はいいな、この詩はなぜか気になるな」と感じたら、それを声に出して言ってほしい。思っているだけではその言葉は作者の元へは届かない。言ってくれた言葉で、どんなに作者は励まされるかしれない。勇気をもって次の創作に向かえる。それに、言われたほうだけではなくて、言った本人のためにもなる。言わないで思ったことって、たいていそのまま忘れてしまう。

でも、言ったこと、「私はあなたの詩が気に入った」という言葉は、言った本人の感性のありかを定めることでもある。自分はこんな詩が気に入るんだな、こういう詩を目指しているんだなと、自分の感性を知ることができる。自分の詩のありかや行く末を思うことができる。

詩の世界って、もっと「あなたの詩が好きだ」と表明し合ったほうがいい。理由とか分析とかは後回しでいいから、とにかく「あなたの詩が気になる」と感じたら、一言でいいから言葉にする。大げさでなくていいから。では、読んだ詩があまり面白くないと思ったらどうするか。それも言ってかまわないと思う。でも、慎重にやる必要がある。

というのも、みんなも感じているだろうけど、現代詩って、時々、自分の読みではたどり着けない詩がある。つまり、面白くないと感じたときに、その感じ方には二種類あって、ひとつはその詩が本当につまらないとき、もうひとつは、自分がその詩の魅力を感じ取ることができないとき。この詩はこうしたほうがいいのにと思うことを言ってあげるのはいいけど、面白くないからといってただ攻撃するのは危険だと思う。

この詩はいいな、素敵だなって思うことは、それはそのまま、読み手にとっていい詩であり、素敵な詩であるわけだから、ためらいなく言ってあげる。自分はあなたの詩を支持しますと伸び上がるくらい手を挙げる。そんな気持ちで静かに言ってあげる。

少しはみ出し

ぼくは昔、近親者を亡くして、そのことを詩にしようとしたことがある。亡くなって半年くらいが経った頃だったと思う。そのときの感情を、それまで学んできた詩の技術で書いた。詩は書けた。でも、何かが足りないと感じる。喪失感を丁寧に書いても、どうももの足りない。だからそれはどこにも出さなかった。それから何十年か経って、またそのことを詩に書いている自分がいた。そのときに、本当の詩を書こうとするなら「はみ出さなきゃいけない」ということを感じた。

前に書いた詩がつまらなかったのは、人の死を書くときに、ここまでは書いてもいいけど、ここから先はよくないという、境界線のようなものを決めていたからじゃないか。ここまでなら書いてもいいという先入観に縛られていて、その先入観って、他の人も共有しているから、書かれた詩は、本当に当たりさわりのないものになる。もちろん自由詩っていうくらいだから、何を書いたっていいんだけど、でも、どこかに、このテーマで詩を書くときにはここまでは書いてもいいけど、これを越して書いたらまずいという壁がある。

この教室を始めて毎回二十何篇の詩を読んでいるけど、いいなと思う詩って、一言で言えばありふれていない。どこかがふつうの詩とは違う。その違いは「境界線を少しはみ出している」かどうか。みんなが現代詩とか表現に対して持っている常識を、ちょっと踏み外している詩だと思う。

少しというところが大切。あんまり踏み出してしまうと、誰もついてきてくれないし、人を傷つけることだってある。詩を書いていて、いつものパターンで面白くないと感じたら、そこでいったん立ち止まる。いつもならこの詩はこんな感じで書き終わるという、その道筋を外れてみる。ただ外れるのではなくて、自分の深い思いのほうへ少し外れてみる。その「少し」が、詩に命を与えてくれる。

少し伸び上がる

これは本当に単純な話。ちょっと精神論みたいでいやだけど、誰でも能力には差がある。経験にも差がある。環境にも差がある。でも、問題にすべきはそういった人との差ではなくて、昨日の自分との差だよということ。つまり、昨日と同じ知識、同じ感情で、ゆったりしているのもいいけど、それでは昨日よりすぐれた詩はなかなか書けない。生きるって、昨日までと同じことをすることではないはず。

いつも自分より高いところにあるものに向けて背伸びをしていたい。背伸びをしたときのつま先の痛みを感じていたい。いまはこんな詩しか書けないけど、ずっとそうではないはずだと信じて、少しはましになりたいとつねに思っていることが大切。少しはましなものを書きたい、もっと鮮やかな詩を書きたいと思えば自然にそっちのほうへ向かってゆくはず。

昨日より少し、詩を読めるようにする。昨日より少し、知っている詩人の数を増やす。昨日までは読まず嫌いだった詩人で、でもみんながいいと言う詩人の詩を今日は読んでみる。少し伸び上がること。「少し」が大事です。

2018.3.4　横浜

書きたいことを書くってどういうこと？

今日は「書きたいことを書くってどういうこと？」という話をします。
つまり、書きたいことを本当に書いているかということ。そんなに複雑な話ではありません。

会社に向いていない

会社に入ってしばらくよく考えていたのが「自分は会社勤めに向いている人間かどうか」。学生の頃は、早稲田の古本屋でよく詩集を読んで時間をつぶしていた。友だちもいなかったし、人と話をすることは滅多になかった。人付き合いがうまくできないから、会社人間になれるのかという不安があった。でも勤め始めてみると経理部だから基本デスクワークで、数字を見ていれば一日は終わる。だから、結構やっていけるのかなと安心したわけ。

仕事中は、だから問題ない。問題はむしろ仕事じゃないとき。仕事は向いているけど、仕事以外が向いていないと思った。たとえば昼休み。男は男、女は女で、昼飯後に集まって話をする。そんなとき、ああ自分は会社に向いていないと感じる。なぜかと言うと、そこでの話題についていけない。車、ゴルフ、競馬、スキー、麻雀、あるいは渋谷のどこそこにロシアンパブができたとか。正直、どの話題にもまったく興味がない。

会社の人に誘われて付き合いで競馬にも行ったことがある。でも、馬券が当たっても当たらなくても何にも感じない。確かに馬の寂しげな表情を見ていれば、多少気持ちが優しくなるけど、それはそれだけのこと。競馬とは関係がない。車にしても、便利だとは思うけど、車種だとか馬力だとか、どうでもいい。すごくそういうことに詳しい人がいて、車の名前はもちろん、自分の車に固有名詞をつけてちゃん付けで呼んでいる人さえいる。そういう気持ちがまったくわからない。

外資系だから帰りに飲みに行くという感じではないけど、でもたまには飲み屋に行くこともある。初めのうちはぼくに気をつかってか、会社の話をしているんだけど、酔うほどに、それこそ競馬や麻雀やゴルフの話になってしまう。そうすると、ぼくはもうやることもなく、相づちを打つタイミングもわからず、ずっと遠くの壁に貼られている汚いメニューを見るともなく見ていることになる。

不自然をなじませる

ゴルフにも行ったことはある。ゴルフ場じゃなくて打ちっぱなし。表参道近くの会社だったから、明治神宮の打ちっぱなしに男女八人くらいで行った。誘われて、いつも断るのもなんだから行ったわけ。ゴルフって、下に置いたボールをゴルフクラブで打つでしょう。そのときに感じたのが、それがすごく不自然な動きだなということ。野球でバットを振るよりもずっと不自然。たぶん、右手と左手の位置とボールとの距離や角度の問題だと思うけど、つまりやりたいように振っても思ったほうへボールは飛ばないし、当たらないこともある。

好き勝手に振ってもうまくいかないから、うまい人に教えてもらった。足の開き方から、立ち方、クラブの握り方、振り方。教えてもらいながらも同じことを感じていた。すべてが不自然だなって。つまり、ゴルフがうまくなるというのは「不自然を体になじませる」ことなんだって。「不自然に自分を律していなければ物事は成就しない」、それってゴルフだけじゃないなと考えた。詩も同じことが言えるかも、と。

詩がダメになる落とし穴

詩を書いていて思うのは、書きたいように書いていると、つまらないところへ落ちこんでいくことがある。なぜだろうと思うけど、詩を書いていくその先には、あっちこっちに「詩がダメになる落とし穴」があいている。その落とし穴に落ちないようにしっかり歩いていないと、ちゃんとした詩が書けない。そう思うから、他の人のうまい詩を参考にしたりして学ぶ。だから、そうして学ぶことにはしっかりした意味がある。たとえば、

擬人法は恥ずかしがらずに
同じ単語を繰り返さない
夢のことを書いても人にはつまらない
行と行の関係性はつかず離れず
最後はきれいに着地しない
リフレインはどうするこうする
暗喩は暗いほうがよさげに見える
こうしたら詩は見栄えがよくなる

縛りを身につけて詩を書く。ゴルフスイングと同じ。不自然をしっかり身につける。それ自体は否定しない。自己流ってなかなか抜けきれないし、基本、つまらない。でも、そうして勉強して、不自然が身についてくると、何かがずれていると感じる。自分から、自分の書きたいという欲求から少しずつずれてきているって。どこからずれてきているかというと、最初から。最初の、詩を書きたい、表現したい、自分がここにあることをそっと置いておきたい。そういう思いからだんだんずれてくる。立ち止まって、振り返って、「これってホントにやりたいこと?」っていう疑問が出てくる。たぶんやりたいことって、ずれていいところと、ずれてはいけないところに分かれている。

書きたいことを、書きたいように書く

ぼくは二十代まで詩を学んで、三十代の途中で詩をやめた。もう詩はいいかなって思った。心は離れていたし、たぶんそれまでに学んできたものも少しずつ失われていった。詩を書くことから遠かったし、「よい詩」を書くなんてことはどうでもよかった。無理してよい詩を書きたいと思わなくてよくなっていた。もう一生書くことはないだろうと思った。

それが五十代のある朝、目が覚めたら詩ができてしまった。どうしてだろう。子育ても一段落して、会社も重要な役職から外れて、生活が少し穏やかになったからかもしれない。でも、本当の理由なんてわからない。ただ詩ができてしまった。そのとき思ったのは、詩は書くものではなくて書けてしまうものなんだなってこと。本当にその人に親しいものは、こちらが捨ててもそっちからやってくる。

その書けてしまった詩は「いい詩を書こうとしていない詩」、詩以前の詩。あるいは、詩以後の詩と言ってもいいかもしれない。本当に書きたいことだからどんどん書ける。人生の大半、いろんなことがあって、不自然な動作ばかりで乗りきってきた。そのためかどうか、ぼくのどこかに、詩くらい書きたいことを書きたいように書いておきたいという気持ちがあったのかもしれない。

長く詩を書いていると、しがらみや慣れって出てくる。外に対するしがらみだったり、自分とのしがらみだったり。自分とのしがらみって何かって言うと、

すぐれた詩とはこういうものだという確信
自分の実力ならここまでは書けるという決めつけ

そういうしがらみって確かに大切な学びからきたものではある。でも、一度くらい、あるいはたまには、そういうしがらみから離れて書いてもいいんじゃないかと思う。

それまで書いてきたものに縛られない
人から、あるいは批評家からの言葉なんか気にしない
同じ単語を好きなだけ使う
ひらがな表記が好きなら、ひらがなばかりの詩にする
本当は何を書きたかったのかを思い出す
技術を忘れる
誰かに似ていると感じても気にしない

書くことにただ夢中になる
できあがりを気にしない

そうすると見えてくるものがある。胸郭が広がる。元の自分に出会える。

話が戻るけど、五十代に、ある日、詩が書けてしまった。あれよあれよという間に、出来なんかどうでもいいやという詩が五十篇以上書けた。せっかく詩ができたから、これを本にしようと思った。最後の詩集になるだろうけど、自分の書きたいように書いた詩を残したかった。『きみがわらっている』という題をつけて、本にした。あの詩集は、だからゴルフクラブを大きく振り回した詩集。ボールが遠くに飛んだかどうかは、わからない。

2018.4.1　横浜

二人の自分、枕元の詩

今日は短い話を二つします。
ひとつは「二人の自分」について、もうひとつは「枕元の詩」について。

ありきたりな自分とそうでない自分

詩を読んでいて「すごいな、これはいいな」と感じるときがある。その「すごい」にもいろんなケースがあると思うけど、そのひとつが、「自分だったらこんなふうには書かないな、どうしてこの一連目からこんな二連目へ向かえるんだろう、この言葉のあとにこんな言葉はふつうつながっていかないな」といった驚きが感動になる。読んでいて、作品の非凡さを感じながら同時に自分の凡庸さも感じている。

すぐれた作品を読んだときって、自分はここまでは書けないと、悔しくて弱々しい心が湧いてきて、自分の感動をなぐさめるような形でうなだれてしまう。そのことに気持ちよくなることもある。

ただ、ありふれた自分とか、ありきたりな自分っていうのは、詩を書くときにはどうしようもないけど、日常、ふつうの時間には、そういった自分はとても大切なわけ。目が覚めたら、ありふれた日常でないと困る。会社で挨拶したり、仕事の受け答えをするときには、ありきたりな自分が必要。まっとうで、ひねりのない、特段な発想もない言葉って、しっかりと自分のなかになきゃならない。そんなことを考えていると、詩を書くときって自分のなかに二人いることに気づく。剝がれるように二枚の自分が体のなかに入っている。

凡庸で、こんな言葉のあとにはこんな言葉が続くということに平気で、ありきたりな自分。その自分が書いた詩って、本当に他の人と考えることとまったく同じで、「お元気ですか」「はい元気です」という会話となんら変わらない。悲しいほど当たり前なわけ。でも、時々そうではない自分がいることに気づくことがある。それって、何もしていないときにのっそり出てくるわけじゃなくて、詩を書いているとき、まさに書いている最中に突然、現れてくる。

この言葉のあとになぜか別の言葉が出てくる。いつも見ている方向とは違った角度からその先が見えてくる。一行がめくれて見える。一本道の脇に、ちょっと振り向いたところにもうひとつの目立たない道が見えてくる。詩を書いている自分を上空から俯瞰図のように見下ろすことができる。そういう状態になったときには詩が違ってくる。どこかありきたりではなくなってくる。一人前の詩ができる。

だから詩を書いていて、なかなか書けないときは、そのありきたりな自分が自分を支配しているとき。どうしたらありふれた発想から抜け出した自分を見つけ出せるか、それがわかれば苦労はないんだけど、そこが難しい。それに、いったんありふれていない自分が詩を作り上げたとしても、次の瞬間にはもうありきたりな自分に戻っている。

たまに、とくに学んだわけでもないのに詩を書き出したらスムーズにありふれていない自分を取り出せる人もいる。でもたいていの人はそうじゃない。だから訓練をするというのもひとつの方法。すぐれた詩を読んで、ああすごいなと感じるだけで終わりにしないで、自分がこの詩をかりに書いたらもっとありふれた展開でしか書けなかっただろう、だとしたら、この詩がそうでないのはどうしてだろう、ありふれていないのはどの部分だろうと目を凝らしてみる。自分だったらこの詩のこの言葉のあとにはこんな言葉しか思いつかない、でもこの詩人はこの言葉の次にこんな言葉を持ってきている。この差は何だろう、この違いは何だろうと差異を見つめながら読む。それがひとつの訓練になると思う。

最期に枕元に置きたい詩

この歳になると、だんだん周りにいなくなる友人が増えてくる。その人を思い出すとき、その人との出来事を思い出すときに、その人との関係性の横に、その人が「生きているのか亡くなっているのか」のタグ、フラグがついてくる。その人が生きているか、亡くなっているかを思い出しながら、その人との出来事を思い出す。

もちろん、ぼくもその友人のうちの一人で、でも、唯一、生きているか亡くなっているかを考えなくても済む対象が自分なんだよね。それで、この頃思うのは、ぼくが死ぬとき、その瞬間にそばに置いておきたい詩はあるだろうかということ。いくつも置くのは品がないから、たったひとつだったら、なんだろう。誰の詩のそばで死にたいだろうって考える。

ぼくの場合は阿部恭久。今日はあえて詩を持ってきてないけど、それに、有名な詩人だからことさらっていうところもあるけど、もし知らない人がいて興味があったら、一度読んでもらいたい。でも、こういうのって往々にしてあるけど、この詩人はすごいよ、この詩は傑作だよと人に言われて読んでみても、さほどに感じないことがある。

つまり、その人にとっての特別な詩って簡単に人とは共有できない。すぐれた詩やきれいな詩、感動的な詩は、それなりに人と分かち合える。でも、この詩こそはという詩は、すぐれているとか感動的だとかいうのとはちょっと違うというか、もっと個人的なものなのかな。

これまでいろんなことがあったけど、やっぱりぼくは、最期はひとつの詩を枕元に置きたい。この世を去るときに、もしひとつの詩を枕元に置くとしたら何を置くだろうって考えてみる。たぶんその詩が、この世に生まれたきみに詩を書こうと思わせ、生きているあいだうっとりとさせ、ひどい気分のときに救ってもくれた詩なんだ。詩の効用とか大げさなことを言う気はなくて、でも、こうして本気で詩に向かっている人には、それぞれに「これこそが私にとっての詩」というのがある。その詩がどれかなんて人に言わなくてもいい。どうしてなのかなんて説明する必要もない。その詩といつも二人きりで生きていく。その純粋な姿勢が、きみの詩を間違いのない方向へ導いてくれる。

2018.5.6　横浜

詩の基準

つまらない詩を見極める力

今日は「詩の基準」という話をします。

どうしてこの話をしようと思ったかというと、「どうして自分が書いたものって正確に（正当に）読み取れないんだろう」と考えたから。ぼくもこの教室でみんなの詩について自分の感想を確信ありげに話しているけど、いざ自分が書いたばかりの詩がどれほどのものかと聞かれたらうまく答えられない。この教室に来ている人も、たぶんよく似たことを感じていると思う。というか、たいていの人はそうなんじゃないかな。だから書いたものを持ってきてぼくやみんなの感想を聞いているんだと思う。

書いたときは、書くという行為、言葉を探すという行為に興奮しているから、それがどれほどのものかなんて考えない。というか、そのたびにすごいものを書いたって思う。でも現実には書くたびにすごいものが書けるなんてありえないわけで、たいていはつまらないものを書いているはず。でもそれがつまらない、価値のないものだなんて思いたくない気持ちが根底にあるからどうしても目がくもる。よっぽどひどければさすがにわかるけど、その一歩手前の出来だと判断がつかない。

人の書いたものは、それなりに評価の基準が見えるけど、自分の書いたものっていつも基準が見えないというか、基準が勝手に動いてしまう。詩に限らず、たとえばツイッターに載せる気楽な文章でも判断が難しい。人の意見を聞くと、自分が思う自分の詩への感じ方との違いがわかる。だから自分が書いたものはいつだって恐い。こんなにひどいものを書いてしまって、いつかきっとどこかで復讐されるのではないかって恐れながら書いている気がする。だったら書かなければいいんだけど、そう単純でもない。自分のなかに復讐を受け入れたい思いがあるのかもしれない。

同人誌をやっていると合評会があって、それぞれの詩について評価し合ったりする。たいていの同人誌には、人の詩に対してだけは辛辣にものを言う人が一人か二人いて、そういう人って人の思いをはかるということをしないので、正直に人の詩のだめなところを指摘してくる。自信を持って出した詩がけちょんけちょんに言われてしまったり、一方、いつものパターンで面白くないけど、他に出すものがなくて仕方なく出した詩が思わぬ好評価だったりすることもある。

人の読み方と自分の理解に違いがあるのは仕方がないことだけど、それでいいのかなとも思う。詩を書いていて何が一番悲惨かっていうと、つまらない詩を書いてしまうことではなくて、そのつまらない詩をつまらないと気づかないことなんだ。つまらない詩をつまらないとわかりさえすれば、もっと違う詩を書かなければとか、いまはいいものが書けないから、しばらくやめておこうとかわかる。

すぐれた詩人っていうのはそういう能力を持っている。つまりすぐれた詩人っていうのは、自分の詩を正当に読む能力を持った人のこと。失敗作を書かない人というのは、失敗作を書いてもすぐにそれと感知する能力があって、その失敗作を人に見せないでおくことができる。

なぜ自分の書いた詩は正しく読めないのか、目がくもるのはなぜかということを深く考えたいけど、そうたやすく解決できる問題ではない。できることは対処法だけ。自分の詩が読み取れないときの対処法を考えてみたい、というのが今日の話です。

日記とくらべてみる

先日、尾形亀之助を読んでいて、詩を書くって、場合によっては余計なことをしているのかもしれないと考えた。尾形亀之助の『障子のある家』って、有名な詩集だから読んだことのある人も多いと思うけど、ほとんどが散文形式で「そのままの詩」なんですね。感じたこと、見たことをその通りに文章にしている。散文詩だけど、書いていることを飾ったり、行分け詩と違うものを出そうとしたり、そういう策を弄していない。それも技術と言えばそうかもしれないけど、とにかく詩がそのままなんですね。ひとつ読んでみます。

☆

へんな季節

次の日は雨。その次の日は雪。その次の日右の眼ぶたにものもらひが出来た。

午後、部屋の中で銭が紛失した、そして、雨まじりの雪になつて二月の晦日が暮れた。

少しでも払らはふと思つてゐた肉屋と酒屋はへんに黙つて帰つて行つた。

私は坐つてゐれないのでしばらく立つてゐた。ないものはないのであつた。盗つたことも失くなつたことも、つまりは時間的なことでしかないやうだ。

天井に雨漏りがしかけてきて、雨がやんだ。（後略）

（『障子のある家』一九三〇年）

「つまりは時間的なことでしかないやうだ」のところを除けば、ほとんど日記みたいな書き方です。日記って、紙に日付を書いて、その日の天気を書いてあるような、いわゆる昔からの日記。SNSも一種の日記かもしれないけど、あれは人が読むのを意識しているものだから素直な日記じゃない。ひたすら書かれて、その人が死んだら親族の何人かがぱらぱらってめくってそのまま忘れられてしまうような、一人の人が生きていた証がそのまま文章になっているような文章のこと。

　そういう、日記に近い亀之助の詩を読んでいると、詩ってなんだろうっていつもの疑問が湧いてくる。ぼくはいま、雑誌で投稿欄の選者をやっていて、何百もの詩を毎月集中的に読んでいるんだけど、どの詩も基本的には人に読まれたときにどうかという恐れを持って書かれている。それって当たり前と言えば当たり前だけど、その段階で事実や考え方をねじ曲げている。文章もねじ曲げる。ねじ曲げることが詩の技巧で、比喩とかも含めて、このねじ曲げに人を感動させるための手練手管が詰まっている。投稿欄は当然、その手練手管の集合体なわけ。

　これって投稿者の詩だけじゃなくて、ぼくの詩もそうだし、詩人の書くものはみんなそう。そのねじ曲げゆえに詩として成立しているんだけど、日記って、そういうねじ曲げや手練手管から遠い書きものなんだよね。つまり、詩は詩として成立させるために手練手管を弄することによって、かえって人の胸を打つことから遠ざかっているんじゃないか。

　投稿詩を読んでいると、この人は詩がいまひとつだけど、日記なら、こんなにひどいものにはならないかもしれないと思う人がいる。もしその人に個人的に会うことができたら、まず日記を書くように詩を書いてみて、それにちょっと思いの丈を飾りつけのように足してみるところから始めたらどうかってアドバイスしたい。日記のようにふつうに書いていれば伝わりそうなものを、無理してかえってわけのわからないものにしている。前へ進んでいるつもりで、脚に力をこめてじつは後ろに下がっている、そういう苦しい夢みたいなことをしている詩がたくさんある。

一言で言えば、そういう人は余計なことをしているということ。それは投稿の人だけの問題ではなくて、ほとんどの詩を書く人がおちいりそうな落とし穴なんだよね。だからひとつの詩を書いたときって、その詩が自分の日記の文章よりも上等にできているか、日記よりもすぐれているかという観点から判断してみる。それも自分の詩の評価をする基準になると思う。だいそれたことを書こうとするから、わけのわからないものを書いてしまう。詩が書けないときはいったん日記に戻る。日記よりましかどうかを判定してみる。日記を基準点に置く。これが対処法のひとつ目。

自分を責めない

もう少し考えを先に進めて、対処法の二つ目。もしかしたらこれまで言ったことと矛盾するかもしれないけど、そうは言ってもやっぱり書きものってそんなに単純じゃないから、どうしてもつまらない詩を発表してしまう可能性はある。

あとでどうしてこんなのを出してしまったんだろう、どうしてわからなかったんだろうと思う。でも、それって仕方がないことなのかなということ。つまり、起きたことを起きたままに書けば、それは、そのまま伝わる。でも、その伝わり方では満足できないから、わざわざ詩を作っているので、詩を書こうとすると日記よりもつまらないものになることを覚悟しないといけないのかもしれない。

なんて言うか、車の運転で上り坂の途中に停車していて、動こうとしてブレーキを外す、その瞬間いったん坂を後ろへ一瞬下がるでしょう、あれと同じ。ちょっと下がることによって先に進める。日記を追い越せるわけです。いったん文章を壊し、言葉を壊す。詩を書くって、いったん伝達を壊すことなのかなって思う。

その壊れたところからまた少しずつ坂道をのぼってゆく。だから、一部の詩が日記よりも面白くないのは当然なわけで、かといって、詩が日記に戻ればいいとは言えない。いいものを書きたいと思ったら、当然、日記を手本にはできない。

さっき言った日記に戻るというのは、これから書こうとする人に対するアドバイスであって、ここから先は、それなりに創作に打ちこんできた人に向けて。つまり、書いたものが日記からいったん下がって、まだのぼり始めていないものは、その時点ではつまらなくて当たり前。きちんとその状態を理解して、そのことに気づいたら、その時点の作品を人に見せるのはやめる。まだ作品として一人前ではないということだから。

そして、ひどい詩をひどいとわからずに発表してしまったときは、自分を責めないこと、気にしないこと。それは、往々にしてあることだし、ものを作ることの宿命だと思う。真剣に取り組んでいるからつまらないものができてしまう。そのつまらないものは、そうでない作品へのデッサンだと考える。これが対処法の二つ目。ダメな詩を書いて発表してしまったとしてもそんなにがっかりしない。それが凡打であればあるほど、そこからエネルギーが生まれるはずだと言い聞かせる。ダメな詩というのは、すぐれた詩になるはずの詩を途中でうっかり手放してしまったっていうことなんだ。

失敗が教えてくれる

自分で言うのも恥ずかしいけど、長く詩を書いてきて、自分が書いたものの姿がいまだに見えない。以前、「詩学」で新人特集をするというので編集者から原稿依頼があった。まだ最初の詩集を出す前だったと思う。そこにはその当時出てきた新人の作品が十五人くらい載る予定だった。ぼくも依頼の期日までに作品を送った。その号が出て、自分の作品を探したけど、見つからない。他の人はみんな載っているのに、ぼくの作品だけがない。何かの間違いじゃないかと思って編集部に連絡したら、あなたの詩はボツだと言われた。すごいショックだった。ひどい出来だったからという理由。ホント、見事な理由だった。投稿した詩じゃなくて、依頼されて送って、ふつうは載るはずの詩がボツになった。

ぼくは、そのときのことをずっと忘れていない。その詩も覚えている。ほめられた詩は忘れても、その詩だけは忘れない。ずっとぼくの記憶にあって、ぼくに語り続けている。おまえはこういう詩を書いて、こういう経験をしたんだって。それを考えると、そういう経験をしてそれでよかったのかなと思う。いまのぼくのために、あのときのぼくが恥をかいてくれたんだ。

どんな経験も、それが恥ずかしいものであればあるほど自分に教えてくれるものは大きい。ひどい詩と気づかずに出してしまって、批判されたら、それを受け止めよう。ひどければひどいほど、そのあとの自分を支えてくれる。

どうして自分の詩を正しく読めないのか、その理由はよくわからない。でも対処法はある。対処法1、日記と比べてみる。対処法2、自分を責めない。これから先のために教えてくれていることがあるはずだと考えてみよう、ということです。

2018.7.1 横浜

詩を書く幅、詩を読む幅

今日は「詩を書く幅、詩を読む幅」について。

表参道のスパイラルの詩の教室を受けもっていて、そこで「詩に関する疑問」ということで、みんなからの質問に答えた。たくさんの質問に答えたけど、それでも時間が足りなくてとり上げられなかった質問がいくつもあって、そのなかに「松下さんの詩との出会いはなんでしたか」というのがあった。それを今日は話したい。「詩との出会いはなんでしたか」って、この質問はすごく大事なことを思い出させてくれる。

二つの悩み

この教室や表参道の教室をやっていていくつかの訴えを聞くことがあった。どんな訴えかというと「詩を作ることが苦しい」とか「わたしの書いている詩は現代詩とは違うようなので悩んでいる」とか。この二つの訴えを一緒に考えるべきじゃないのはわかっている。わかっているんだけど、そういう訴えを聞くたびにちょっと違和感があった。

ひとつ目の「詩を作ることが苦しい」というのは、もちろん個々の理由がある。答える前に言うのもなんだけど、この質問にどんな言葉で答えても解決しないだろうという気はする。人の心というか悩みって、そんなに単純に、はいそうですかと解決できるものじゃない。いったん気持ちが変わっても、またじわじわと同じ悩みが湧いてきて、いてもたってもいられなくなる。だから悩んでいるんだろうと思う。あえて答えようとしたとしても、この「詩を作ることが苦しい」という言葉だけではさすがに情報が少なすぎる。

では詩を作ること以外の時間は苦しくないのか。あるいは詩を作るということを知る以前には苦しくなかったのか。また、詩を作ることに何を求めているのか。そういうことを丹念に掘り下げてみないと「詩を作ることが苦しい」という訴えに対してぼくは軽々に返事をすることができない。

また、もうひとつの「私の書いている詩は現代詩ではないのではないか」という訴えも、そもそも「現代詩」ってなんだっていうところになってしまう。だって、苦しんでまで詩を書かなければならない理由ってなんだろう、現代詩っぽい詩を書かなければならない理由ってなんだろうと思うから。

そもそも考え方の順番が逆なんじゃないかって考える。詩や現代詩というものがまずあって、われわれの前に立ちはだかっていてそれを乗り越えるために立ち向かっているわけではない。その逆で、他でもない自分が詩を選択して書いているわけ。誰に強制されたわけでも誰に頼まれたわけでもない。自由詩を自由な意思で選び取っているのは自分以外にいない。そこを忘れてはいけないと思う。そこを押さえておかないといつのまにか主客が逆転してしまう。手を伸ばしているものに追いかけられて苦しんでいる。そんなのどう考えてもおかしい。

勝ち負けではない

もちろんなかなかうまく書けないとか、一緒にやっている友人はどんどん上達しているのに自分の詩は停滞している、なんてことはあるかもしれない。でも、そんなのどうってことない。われわれは機械じゃないんだから、いいものが一年くらい書けないこともあるし、停滞することもある。いいものが書けないことのもどかしさも、生きているという意味に則っているわけで、そうなっている世界にいることを大切に感じたほうがいい。それほど繊細にできている世界にいまいるということをしっかり感じていたい。どこかに先にたどり着くために詩を書いているわけではない。

なぜ詩を書いているかと言うと、自分のなかのざわざわしたもの、放っておけばそのままで人生が終わってしまうものを生きた証として書いておきたいという、その尊い行為のために書いているのであって、それに比べれば、人よりいいものが書けないことなんてどうってことない。ただでさえ会社で出世競争を強いられて、やるべきことにいつも追いかけられて、あげくに人に抜かれてばかりで置いてきぼりになって。さらにプライベートでも、勉強しろ、運動しろ、異性と付き合え、結婚しろ、子供を作れ、長く生きろとつねに言われて、そんなところへ、なぜ詩を書くところにまで人との競争を持ちこまなければならないのか。詩を書くというのはあくまでも自分と詩との二人きりの世界だということをつねに意識していなければ、また変な具合に苦しんでしまうことになる。

ひたすら惹かれるもの

この会は詩の教室だけど、ぼくはみんなに別に現代詩を書いてほしいと思っていない。現代詩じゃなくていい。さらに言うなら詩を書いてほしいとも思っていない。別に詩でなくてかまわない。自分が心を打たれ、なぜだかわからないけど惹かれてしまうものをひたすら書いてもらいたくてこの教室をやっている。心を惹かれているものにわざわざ「詩」なんて名前をつけなくてもいい。

ひたすら惹かれるものって何かということは、そもそも自分にとっての詩との出会いは何だったかという最初の質問につながる。詩との出会いって、誰かに決められたものではなく自分で選び取ったものだったはず。そのときめきを忘れて詩なんか書いていたって仕方がない。そのときのときめきがすべてだと思う。そのときめきを具体化したい、目に見えるものにしたい、わかる人と共有したい。だから、詩は少なくとも自分を救ってくれるものでないとわざわざ時間を費やす意味がない。

すぐれた詩を書けば、多少はほめられて気持ちよくなったりするかもしれない、いいこともたまにはあるかもしれない。でも詩の外に、詩のことで何かを期待したってそんなものたいしたことではないし、そんなの自分がひたすら書きたいと思う心に比べれば、小さなこと。詩は、自分のためにひたすら書く。それだけでいい。詩のよさってまさにそこにある。自分を幸せにするためにとか、自分を救うためとか言ったら大げさだけど、自分と付き合うため、自分の孤独を知るため、自分の至らなさを見つめるため。自分の手を握ってあげることくらいはできる。

ぼくの詩との出会い

ここで冒頭の質問に戻る。ぼくにとっての詩との出会いはなんだったかと言うと、ぼくの場合はほとんど同時に二人の詩人の詩に出会った。

ぼくは姉の影響で小学生の頃から詩を読んでいて、どの詩人が初めてだったか覚えていない。枕元に茶色の分厚い『中原中也全集』を置いて、目が覚めたらすぐに読めるようにしていたこともあった。でも一番覚えているのは萩原朔太郎とサトウハチロー。

朔太郎については『月に吠える』を読みながら打ち震えていた。まさにこれが読みたいと思っていた。自分が書きたい詩そのままじゃないかと思った。そんなことがあるのか。こんなにすごいものをすでに先に書いている人がいるんだと思って驚いた。生きていることに不思議な感じを覚えた。衝撃だった。朔太郎は、もちろん自分とは生まれた時代も場所も違うけど、そんなこととまったく感じなかった。まさにここに自分がいる。自分が生まれてきて表現したいと思っているそのままのことが見事に表現されている。生まれてきて読んでおくべきものがここにある、これを読むために生まれたんだと知った。

サトウハチローのほうは、テレビを通してぼくに入ってきた。「おかあさん」というドラマが週一回あって、エピソードごとに有名な女優が出てきて、その劇のなかでサトウハチローの作った詩が画面に出てきて朗読される。もうひとつ「あすは君たちのもの」っていうNHKのテレビ番組が土曜日の夕方あたりにあって、番組で紹介したドキュメンタリーの内容をサトウハチローが事前に観て、詩を作り、番組の最後にその詩が画面に出てきて朗読される。わくわくするような詩だった。もちろんぼくも卒倒するくらいにわくわくしていた。画面に映る詩を見て、こんなのが書きたい、こんなのが書けるようになるならもう何も望まないと思った。

で、そのためなら何でもしようと中学生のぼくはひそかに祈り、決意していた。学校が休みのときは部屋にこもって一日に十篇も二十篇も書いた。自分がやりたいと思ったことだから、もっともっと書きたかった。とにかくたくさん詩を書いて、感じているものを言葉にしたいと思った。

朔太郎とハチローがいたから詩に魅入られた。これがぼくの詩との出会い。

萩原朔太郎とサトウハチロー

あれから五十年以上詩を読んで、書いてきて、思い返すと、あのときの詩との出会いってすごく重要だった。というのは、詩を読むときに、ぼくは無意識に朔太郎とサトウハチローの詩の、両端の幅の広さのなかで読んでいたのかなって思う。つまり、のちに戦後詩、たとえば吉岡実や清水哲男に出会ったときはもちろん朔太郎を読んだ目で読む。でもそれだけじゃない。それだけじゃなくて、サトウハチローを読んだ目でも同時に読んでいる。それが詩を読む行為だった。詩を理解し鑑賞するための二つの目になった。

朔太郎っていま書かれている詩の源流、詩そのものだと思う。日本の詩の本家のようなもの。かたやサトウハチローの詩は、詩の周辺、詩のまわりにちりばめられた詩、詩そのものを外から見た詩と言えるかもしれない。詩の世界は時代が経ってもつねに、詩そのものの詩と、詩の周辺の詩が並存している。そういう世界だと思う。朔太郎とハチローという二つの視点。つまりは現代詩のなかでの視点と、現代詩の外からの二つの視点がぼくの「詩を読む」という行為を偏ったほうへいかないようにしてくれた。読む行為をブレないようにしてくれた。

これは詩を書くときも同じことが言える。いつも朔太郎的な現代詩の視点だけじゃなくて、ハチロー的な現代詩の外からの息遣いも入った詩を書こうとしていた。でもそれは意識してそうしていたわけではなくて無意識にそうなっていたんだと思う。そんな気がする。

初めの話に戻るけど、ぼくはこれまで詩や現代詩を書こうとしてきたわけではない。ただ自分が惹かれたものを書いてきただけ。それが詩と名づけられようがポエムと名づけられようが現代詩と名づけられようが、そんなのどうでもいいんだ。

幅を持った読み方

詩との出会いは、出会いだけでは終わらない。この二人の詩人への震えがおさまらないまま老人になった。老人は自分の生涯を後悔したくないものらしいけど、ぼくもこの出会いに感謝している。幅を持った二人の詩人、詩の目指すもの、つまり現代詩の内側からの目と、外側からの目があったことは、ぼくの詩の書き方だけではなくて読み方にも重要なものを与えてくれた。

人それぞれだから、みんなにそうしてもらいたいなんておせっかいなことを言う気はない。ただ、自分の詩はこういうものだと現代詩のなかであまり決めつけないで、がんじがらめにならないで、シャツの首のボタンを外して、現代詩の外からの目も持って自分の詩を育てていってもらいたい。そうでないと詩というのは、放っておくとどんどん読み手から離れていってしまう。そういうふうにできている。

たとえば宮沢賢治は「春と修羅」だけではなく、たくさんの切ない「童話」を書いた。あのバランスが大切だった。北原白秋は「邪宗門」だけではなくて奇跡のような「童謡」を書いた。

だから「邪宗門」はさらに輝いている。寺山修司にも「少女詩集」がある。だから寺山修司の詩はより鋭く入ってくる。すぐれた詩人には、つねに外からの視点があった。あるいは創作に幅があった。ぼくにとっての朔太郎とハチローの幅のような幅を、自分のなかに持っていた。それを頭の隅に入れておくといいかもしれない。

振り幅のある詩の読み方、詩の書き方を見つけて、詩との付き合いをまっとうしてほしい。詩を読むときは、たったひとつのがちがちな視点で読むのではなくて、詩のなかからだけではなく外からという視点を持ちたい。幅を持った読み方でその詩を見つめていれば、詩を読み間違えたり、過大評価したり、わからないのにわかったふりをしてしまったり、あるいはよさを読み落としてしまうようなもったいないことが少しは減っていくんじゃないかな。

現代詩を読むときには、現代詩の読み方だけでは危険で、現代詩の外からの読み方も持とうよというのが今日の話です。

2018.10.8　横浜

泣かずに書けない

消え入りそうな気持ち

今週の水曜日の夜に表参道に行ってきました。スパイラルの詩の教室をのぞいてこようかなと思って。暗くなってから行ったんだけど、その日はたまたまハロウィンで、渋谷に向かって歩く妙な格好の人に混じってスパイラルのビルに向かっていた。ぼくが担当していた夏の教室のときは、教室が始まる午後七時前ってまだ明るさが残っていたんだけど、最近はその時刻にはもう夜になっている。夜の詩の教室っていうのもそれはそれで悪くはないけど、何か月か前の明るいときを知っているから、歩いていて妙に寂しくなる。

いまさら夜が寂しいって歳でもないけど、どこかに人の本能みたいなものが残っていて、暗くなるとすごく自分が小さなものに感じられてしまう。暗くなったら早く洞窟に帰らなきゃって、大昔の人の気持ちが湧いてきてしまう。そこまで時間を遡らなくても、情けない気持ちになって、母親の割烹着の後ろに隠れてしまいたくなる。そういう子どものときの気持ちになることがある。いくらハロウィンのにぎやかな飾りつけの通りを歩いていても、頬に血のりをつけて仮装をした十代の女の人たちのそばを歩いていても、いや、その華やかな夜だからこそ消え入りそうな気持ちになる。

この消え入りそうな気持ちって確実に詩の入り口に通じているなと考えながら歩いていた。詩に感情は邪魔者みたいな扱われ方をすることがあるけど、情に流されることによってどうなったかを先の戦争で思い知らされているし、そういうことを言いたい気持ちがわからないわけではないけど、詩を書くのが人である限り感情からは逃れられない。問題は情感や感情だけにあるのではなく、思考のほうにだって少なからずあったんじゃないかと思ったりもする。人って、感情を隠そうとするその手つきにも感情がにじみ出てしまう。

自然に出てくるもの

ぼくの詩は、現代詩のなかでも感情や情感を前面に出しているほうだと思う。ある編集者にかつて「松下さんの詩は嘆き節にならないように気をつけてください」とアドバイスを受けたこともある。自分が感情を前面に出した詩を書いているのって若い頃はすごくいやだった。もっと理知的な詩を書きたいと思っていた。心ではなく頭で詩を書きたかった。

で、それなりに試みた。本来書けてしまう詩ではない詩を目指さなきゃならないと思いこんでいた。でも、そういうの、やっぱり無理がある。人から借りた服を着ているようなもの。

詩を書くときにこうしなければならないとか、こうすればよく見えるとか、こうすれば賢そうに見えるとか、こうすれば人の詩に見劣りがしなくなるとか、考えるのをやめた。どうせつまらない詩を書くことになるなら、決まりごとなんか忘れて詩を書こうと思った。書けてしまうことにひたすら付き合ってみようと思った。情感が過ぎるとか言われたってかまわない。それがぼくの詩だから。ぼくが書きたいように書く。

書き上げた詩が、かりに中年男の情けない愚痴になってもかまわない。つきつめたところそれがぼくの書きたいことならそれでいいと思った。だってそこに自分がいるんだから、そういう詩を書いてしまうわけ。当たり前の行為をしていこうと思った。自分だけは言葉のなんたるかを熟知していて、特別なところにいてわかったような詩が書ける、そんなことはありえない。

他の人と同じ能力を持って、他の人と同じ感覚を持って、他の人と同じ言語を使っている。それでも自分にしか書けないことがある。不思議だなと思うけど、それが生きている意味だと思う。人が読んでどう感じるかを検証しながら書くのは大切なことだけど、それによって自分の書きたいことや方法を我慢する必要はない。放っておいても自分のなかから自然に出てくるもの。それを他の何よりも大切にしようと思った。

わからないけど感じる

話を戻すと、表参道の教室に行きました。秋は川口晴美さんの担当。ぼくみたいに、後半になると声が嗄れていっぱいいっぱいになったりはしない、大人の話しぶり。すごく話すことに慣れていて、落ち着いて聞けたし、面白かった。今週の川口さんの話は「詩を読むことが詩を書くことにつながっている」っていうことをわかりやすく説明してくれていた。詩を読むことはそれ自体が創作なんだという話をしていた。まさにそうなんだよなって思いながら聞いていた。

詩を読むということは、書かれた詩を受け取るだけではなくて、価値を与え返す行為でもある。そこが詩を読むことに慣れていない人には理解できないかもしれない。つまり、詩を読むことは詩を感じることだから。だから詩を読むと言わずに詩を感じると言ったほうが正確なのかもしれない。

よく詩はわからないけど読めるって言われるけど、そういうことだと思う。わからないけど感じる。感受している。いいなと思う比喩があって、でもどうしていいと感じたかを説明することはすごく難しい。その話にも関係するけど、昔から「詩は読むのが難しい」という言い方がある。詩って、人それぞれ勝手にその思いを書いたものだから、読み手は書いたものを完全に理解できるはずがない。その考え方は正しいと思う。人が書いたものが完全にわかるはずがない。というか、書いたものを完全にわかるってどういうことだろう。「完全にわかる」ということがそもそもありうるのだろうか。そんなわけはない。単なる幻想。

人が考えていることが理解できないように、人が言っていることも完全には理解できない。

もともと言葉って完全には通じないものだと思う。完全には通じないものだから、つけ入るスキがある。完全には通じないから、完全に通じるよりもすごいものを受け渡せる。通じない部分があるからそこを利用して詩は書かれているんだと思う。その利用の仕方が詩の技術の身につけ方なのかな。

言葉は通じない。詩だって完全には通じない。もし傑作と言われる作品があっても読む人によって受け止め方は違う。違うけど、その作品が与える衝撃の深さは、なぜか多くの人が似たように受け止めている。すごい作品の受け止め方には共通の部分が確かにある。それって不思議だと思う。

たとえば石原吉郎の詩をぼくが読んで感銘を受ける。また他の人が読んで感銘を受ける。かつて生きていた一人のオジサン。石原という苗字のオジサンの書いたものを胸の深いところで受け止めている人が別々にいる。その「別々」ってすごく不思議で、すごく素敵なことだと思う。読み手同士って離れているけど離れていない部分があるということだから。自分のなかのある部分と同じものを持っている人がどこかにいるということ。それって涙が出そうになるほどすごいことだよね。

カッコつけてる場合じゃない

胸の深いところで受け止めるって、ただ本を読むというだけではなくて、その人が生きていることそのことに大きく関係がある。ぼくは長く生きてきて、詩のことばかり考えて生きてきたわけじゃない。むしろ日々の瑣末な用事や会社の出来事におろおろしながらほとんどの時間を過ごしてきた。でも、そうしておろおろしている自分の奥底に、たとえば石原吉郎の詩の一行がたゆたっている。意識していなくても受け止めて、自分なりの価値を与え返した詩がぼくのなかに転がっている。

詩の一行は、自分を支えてくれるほど太くて強いものではないかもしれない。自分の生き方を指し示してくれるほどには先は尖ってないかもしれない。でも詩を読むことは、ただ理解することではない。ものを表現することの素晴らしさ、自分がそこに関われることの恐れやあたたかさ、そういうものを感じながら、それを忘れずに、詩を読み、書いていきたい。泣かずに詩が書けるか。

ぼくは昔、ぼろぼろ涙を流しながら詩を書いたことがある。長い長い詩を書いた。まさかそれから全部の詩をそうして書いてきたわけではないけど、でも心持ちはいつも同じ。人から見て、どんなにつまらない詩であっても、自分では全霊を込めて立ち向かいたい。すぐれた詩になるか、つまらない詩になるかはそのあとの問題。たいしたことじゃない。大切なことはたいてい手元にある。自分がいま自分の詩に何をしてあげられるか。詩にあとで何かをしてもらえるかじゃない。書いているそのとき、書いているその場所にすべてがある。生きていることのすべてがある。詩を書くってそういうことだと思う。カッコつけてる場合じゃない。ぐっとこないで生きていられるかって思う。

　ここにこうして私がいる、そのことの切なさを込めずになんの創作だろう。失敗作でも結構。つまらない詩ばかり書けてしまう日々でも結構。大事なのは、その詩のできあがりではなく詩を書こうとする自分の手元を見つめることにある。それ以外にはない。

　詩とは、つねにおごそかに向かい合いたい。自分が選び取った詩はわんわん泣きながら書いていたい。書き続けていたい。詩を書くのは詩を書くそのことのため以外にはない。詩を書いているときがすべて。そのとき感じているこの世に対する震え。それ以上のものをぼくは知らない。泣きながら生まれてきたんだから、泣きべそをかきながら生きて、しっかりと泣き疲れて死にたい。そういうことです。

2018.11.3　横浜

詩の一番の上達法

言葉は隣りの家の他人

突然だけど、人前で話をするって緊張しますよね。そういうのが好きな人がいないわけではないけど、それほどいない。たいていの人はいやがる。パーティーなんかでも、あとで自分が前へ出て挨拶しなければならないときって挨拶が終わるまで食事もゆったり食べていられない。それがふつうだと思う。ぼくもスピーチはいやです。これって、日本人だけではなくて英語圏の人でも同じで、すごく緊張するらしい。学校でそれなりの訓練を受けていてもナーバスになる。人前で話をするのって結局みんな得意なわけじゃないけど、ただアメリカの会社って人前でスピーチをする機会が結構あって、苦手だということで済ませられない。

じゃあどうするかと言うと、やれることはひとつしかない。練習する。それだけ。唯一の解決法は何度も練習をすること。すぐれた話し手は人前で話をするときには必ず準備をしてしっかりと練習をする。書いたものを丹念に見直して、それからその原稿を実際に口に出して練習をする。文字を目で追っているときには自然に見えていてもいざ口に出すとどうも理屈と論理が伝わりにくいことがある。あるいは発音しづらい、うまく言えないということが実際にある。文章が長すぎたり、読みづらかったりというのは実際に声に出して読んでみなければわからない。

日本語だから、もう何十年も話している言語なのだから、文字に書いておけばあとはそれを声に出して読むだけだし、そんなの簡単とタカをくくっていたら大間違い。日本人にとっても日本語を話すのは容易ではないことがわかる。それをしっかりと認識しておかなければならない。母国語ってそんなに優しくない。あるとき急によそよそしくなる。言葉って家族のようなものだと思っていたら大間違い。じつは、隣りの家の他人なんだ。だから礼儀を尽くして接しないと痛い目にあう。

タカをくくらない

こんなことを考えたのはなぜかと言うと、S大臣の失言や言い間違いをテレビで見ていたからです。もう前大臣だけど、オリンピック、パラリンピック担当大臣なのに就任の挨拶でパラリンピックが言えなくて、パラピ、パラピと言ってしまった人。あれって上がってしまって、オリンピックのオリンをパラに変えただけの言葉として受け取ってしまった無意識の勘違いがあったんだと思う。だからパラのあとはピックと言いたくなってしまう。あれを見て多くの人がいろいろ言っていたけど、でもああいうことってこの大臣じゃなくてもありうる。ぼくだってやりかねない。擁護するつもりはないけど、それまで口に出して言ってこなかった母国語って、いざとなったら、それも公の場で人前でちょっと上がったりしているときには言えなくなるということがある。日本語なのに発音できないということが充分ありうる。

事前に発音して練習していれば避けられたはずなんです。言葉、母国語って自分のものだと思ったら大間違い。わかっているのは表面のほんの少しだけ。日常の挨拶やコミュニケーションで使われている日本語って、言葉が本来持っている可能性のほんの少しだけしか使っていない。

よく英会話で中学生の英語の教科書をマスターすれば充分って言われることがあるけど、あれって英語だけではない。日本語もたぶん外国で使っている日本語教本の基礎を学べば事足りる。母国語なのに基礎の部分しか使わないで生活をしている。それで一生を終えることだってできる。言葉の可能性のほんの少ししか使わないで毎日を過ごしている。

ぼくは、自分が日本語を話せますなんて恥ずかしくて言えない。別に辞書を読んで語彙を増やせとか日本語の文法を学んだほうがいいとか言っているわけではない。なんでもない言葉や単語の姿をしっかりと見つめてほしいと言っているだけ。一個一個の言葉を尊重して、味わって、感じて生きていこうということ。努力して手を伸ばすべきは、外側へではなくて内側へ。

だから残りの可能性を探して感じて、使おうと意識すればいろんな詩が書ける。

言葉にアンテナを

詩は、ふだんおろそかにされたり、もったいない感じで使われている言葉にその力を発揮させてあげることだと思う。日々言葉にアンテナをはっていることが大切。どんな言葉にも慣れてしまわない。言葉を無意識に使わない。きみたちは詩人なんだから、言葉に敏感でいてほしい。言葉に、いつも敏感にぴくぴくわくわくしていてほしい。

毎日いろんなことが起きるけど、その起きたことは言葉の面から見たらどうなんだろうと考える習慣をつける。たとえば、いま話をした大臣の失言もそう。単にひどいと思うだけではなくて、その言葉について考えてみる。そこから出てくる自分にとっての言葉の問題は何かって考える習慣をつける。

人と喧嘩をしたときに発した残酷な言葉もそう。無礼な人から言われたやりきれない言葉もそう。優しい人のささやきもそう。いいことがあったときのはしゃいだ自分はどんな言葉を発するだろう。退屈で仕方がないときに頭のなかを巡っているのはどんな言葉だろう。すべてが感じる材料になるし、言葉の可能性を探る手がかりになる。新聞を読むのも、映画を観るのも、言葉の面からどうかを考える。

映画なんて二時間もそれに集中しているんだから、必ずいろんなことを感じていろんな言葉が自分のなかに飛び交っているはず。言葉でも、言葉以前の感じ方でもその映画を観て得たものがそのあとで一篇の詩になる。何かを感じて考えたら詩を作ってみる。人に見せる必要はない。たくさん作ることによって自分の詩から学んでゆくことがあるはず。人から学ぶことも大切だけど、自分が書いて書いて、書いて書いて、思うようにならなくて、だったらどうしようと考えて、また書いて書いて、書いて書いてっていうのが詩の一番の上達法です。

日本語は自分だけのものではない。だから人に通じるんだけど、でも自分だけの日本語の部分を探す。作り出す。たくさん書いているうちにそういう言葉が集まってくる。この言葉は自分が初めて使うんだと思う。朝起きて、その日初めて耳に飛びこんでくる言葉、その日初めて目に入ってくる文字、そういうものにいつもドキドキして向かい合いたい。そうしているうちに自分だけの言葉や感じ方が育ってくる。タカをくくらない。ひと言ひと言、個別包装を開くように言葉を受け入れる。それが詩人の仕事だと思う。

2019.4.18　池袋

詩人として生きてゆく

書き始めの段階

今日は詩を書いて生きていくっていうのはどういうことか、話してみようと思います。

まだ詩を書き始めたばかりでスマホやノートにでき上がってくる詩をひたすら書きためているときは問題ない。詩を書いていること自体が楽しくてそれだけだから、その世界ですべては完結している。でも、しばらく書いてきて、自分の詩がそんなにひどいものではないと感じたり、人にほめられたりするとちょっと面倒になってくる。

自分にはそれなりの詩が書けるという思いと、だったら詩を書いて生きてゆこうという思いが切なく湧いてくる。ただ詩をノートに書きためていくだけではだんだん満足できなくなってくる。どうしたら満足のいく詩との関わり方が見つけられるのだろう。詩を書いて生きていくってどういうことだろう。詩人というラベルをはってもらって有名になれば満足のいく詩人と言えるのだろうか。

認められたいという心を乗りこなす

そんなことを考えていて思い出したことが二つある。ひとつは、だいぶ前に若い人が「私は将来詩壇で生き残りたい」って言っているのをどこかで読んだ。それを読んで笑ってしまったけど、それは自分がそういうふうには考えないということではなくて、ずいぶん無防備に思っていることを言ってのけたなと思ったから。詩壇というのが具体的に何を指していて、詩壇に生き残るということがどういう条件を満たすのかわからないにしても、言いたいことはわかる。

もうひとつは、すでに有名な詩人との会話です。その人は率直にものを言う人で、「自分は詩で名をあげたいという気持ちが若い頃から人よりも強かったと思う」と言った。その詩人は願っていたように著名な詩人になったけど、そんな話をいまさらするということは、有名になりたいという心根を自慢のできるものではないと感じていたのかなと思う。むしろ後ろめたく感じていたのではないか。でもその人は有名になりたいと思う心をうまく乗りこなして、あるいは、それが原動力にもなって詩を学び、詩に夢中になって人生を過ごしてきたわけで、そういう生き方は正直だし、誰にとやかく言われることではないと思う。

詩を書いて人に認められたいという心の傾きって理解できる。というのも、詩を書いている人って社会生活とか人間関係を器用にやっていけたり、いろんなことが即座にできるタイプじゃないことが多い。そういう、うまく生きていけないと感じている人にとって、詩を書くというのは生きていることの瀬戸際みたいなところがある。それを失ったら何もない、これだけは唯一、人よりできる可能性があるものだから。やっと人に認められるものが私にもあったという涙ぐましい可能性でもある。やっと手につかんだものをさらに強く確かなものとしてつかんでいたい。そのためにはなんらかの勲章が欲しいというのはわかりすぎるほどにわかる。

「自分で」書いて「自分で」差し出す

この青年も詩人も、詩を書いて名をあげたいという人の話であって、詩人としてどうやって生きていくかという問いには直接にはつながらないけど、どこかで関係しているのかなとも思ったのでちょっと触れました。詩人として生きていくってどういうことだろう。そんな疑問が出てくるのは、そもそも詩の世界ってほんの一握りの詩人にしか原稿依頼がこないこととも関係があるのかな。

スポットライトが当たらない詩人はどうやって生きていけばいいのか。詩とどんな距離で関わっていけばいいのか。ぼくくらいの年齢になると、自分の好きなやり方で関わっていけるけど、まだ詩を書き始めたばかりで、まさに詩をこれから書いてゆこうという人にとって切実な問題ではある。ただ、対処方法は何かって考えると悲しくなるくらい単純だと思う。

待っていても自分の詩を発表する場は与えられないから自分で動くしかない。「自分で」書いて「自分で」人に見せる。それ以外に方法はない。それ以外に方法はないから、あとは自分の気持ちの支え方にかかってくる。生き方に関わってくる。人生のとらえ方、自分が選んだ行為への尊敬の度合いにかかってくる。自分が詩を書き、それを人の前に差し出す行為を「それだけ」と感じるのではなくて、生きていることの尊さをその行為に感じ続ける。静かに感動をもって受け止めてゆく。そういう対処の仕方が大切だと思う。

そんなことできないという人もいるかもしれない。詩を書いているからにはゆくゆくは人からほめられて、賞をもらって、原稿依頼がしょっちゅう来てというステイタスを目指したいし、そうでなければ詩を書いていたくないと思う人もいるかもしれない。いてもかまわない。いてもかまわないけど、それでは苦しい生き方になってしまう。そういうのはキリがないことだから。そんなことばかり考えていると、詩を書くことも、自分であることも、いつかいやになってしまう。

詩を書くことがいやになるのは、詩を書くのをやめれば済むけど、自分でいることがいやになるってとても恐いことだと思う。栄誉ばかりを求めていると詩を書くということとは別のところに目がいって、心が揺れて創作に集中できなくなる。有名になるとか賞をとるとかそんなことはどうでもいいから、自分の書いたものはその詩に一番向いている形でしっかりと地道に人に差し出してゆく。そこに集中する。

詩を書くというのはまさに自分だけの行為であり、そこでは存分に学び、楽しむことができる。その詩がどう扱われるかという次の段階になると、当然自分だけの問題ではなくなって、いろんな事情や力関係や運や経済状態、友達関係、さまざまなことが関わってきて、あてにならない。あてにならないことに血道をあげない。詩人は詩を書く。それをひたすら個人誌や同人誌に載せてゆく。それ以上にうっとりする行為はない。

夢中になって詩を書いている。それができているならさらに何を望むことがあるだろう。そういう意味で、詩を書き始めた頃の、書いて、詩を書きためていくだけで楽しくて仕方がないという状態が、めぐりめぐって目指す場所だと思う。年月が経って、詩人としてすれてしまったあとでも、どこまで初めて詩と出会った状態でいられるか、戻っていけるか。きれいごとだと言われるかもしれないけど、それを通して詩を書いてゆくのでなければ詩人としてやっていけない。

詩を書いている自分を尊敬する。素敵に詩を書いて過ごそう、ひたすらそうしよう、と今日はそのことを言いたいと思います。

2019.5.16　池袋

貧富と詩作

好川誠一

今日は「貧富と詩作」という話をします。

最近のぼくのＳＮＳを読んでくれている人は知っていると思いますが、何回か続けて好川誠一という人の詩を引用して文章を書いています。好川誠一は、「ロシナンテ」の同人だった人です。「ロシナンテ」は、「文章倶楽部」という商業雑誌に投稿をしていた人たちが集まって出していた詩誌です。「ロシナンテ」には石原吉郎もいた。好川さんも石原さんも投稿仲間で、雑誌をやろうということになった。好川と石原は雑誌の中心的な存在だった。詩を書く人間が知り合う機会ってあまりないから、こうして雑誌の投稿欄でお互いの才能を知って、一緒に同人雑誌をやろうという話になる道筋ってすごく自然なことだった。

昔、石原吉郎のことをもっと知りたいと思って図書館で調べていて、好川さんのことを知った。変なことを言うようだけど、ぼくは好川さんの詩に特別強く惹かれているわけではない。いい詩だなと思う作品はたくさん書いている。でも、これは好川さんにしか書けないとか、強烈な個性にこちらが打ちのめされるという感じではない。やっぱり石原吉郎の残した詩のほうが際立っている。でも、詩ってとくに際立っているものだけを読みたいというものでもない。石原さんの後ろで詩を書いている人の詩にも、ぼくらを鼓舞し感銘させてくれるものがある。それは間違いない。ちょっといい詩だなというものでも、その「ちょっと」が読む人の心に沁みてしっかり残ることがある。

自分なんかとても書けないという特別な詩人の詩を読むのも読書の醍醐味ではあるけど、そうではなくてもしかしたらこの人の書く詩は自分にも手が届きそうだというもののほうが、深く抱きしめられることもある。好川誠一っていうのは、ある意味みんなのことでもあり、ぼくのことでもある。そう感じると好川さんがその生涯で必死になって作り上げた詩に、すごく愛着を感じ始めるし、おろそかには読めなくなる。大切に読んでいこうと思う。

ぼくは好川誠一の人生を細かく知っているわけではないけど、いくつかの評論を読んだところでは、貧しくて生活に窮していたようです。家族を養うのも大変でそんななかで詩を書いていた。おそらく詩は好川さんにとって生き甲斐であり、自分が生きた証であり、持っている才能のすべてを惜しみなく注いだのだろうと思う。才能の大きさとか、才能を利用する器用さとかは人それぞれなわけで、個人としてはいかんともしがたい。才能のない人は才能のない人、不器用な人は不器用な人。残酷だけど人それぞれであることは認めざるをえない。

でも、詩ってそれだけでは推し量れないものがある。持っている才能や能力をどれだけ詩に使い果たそうとしたか、その覚悟が詩を読んでいると見えてくることがある。へたくそでも不器用でも詩作品のなかに全力で書いているその姿が見えるなら、その姿そのものが詩作品を通してぼくらの胸を打つことがある。好川誠一はもちろん才能豊かな詩人ではあったけど、それに加えて生涯を全力で詩に捧げた姿がきちんと見えてくる。

たとえば、いまだって詩を一生懸命書いている人のなかにはお金に余裕がある人と、そうでなく苦しい生活のなかで苦労している人がいる。同じ程度の作品を書いているなら、いやな言い方だけど有名な出版社から何冊も立派な装幀の詩集を出している人のほうが、地味に私家版の詩集をたまに出す人よりも目立つ。人に知られることも多くなる。それは事実。そんなとき、裕福でなくても、人にあまり知られなくてもしっかりとした詩を書いていることが大事なんだって、他人事のようにここで言うことは簡単。そんなわかりきったことを言うのはすごく簡単。でもそれでは何も言っていないことと同じになる。

詩にもたれかかる人生

生まれとか環境って人それぞれで、それを言い出したら先が続かなくなる。ぼくがこんなときに思い出すひとりの詩人がいる。かりに名前をSさんということにします。詩を書く人って、社会人になると詩と生活とどちらに比重をかけた人生を送るか判断を迫られることがある。社会に出るときにどんな仕事につくかという判断の時点でその選択を迫られる。そのときだけではなくて、生きていく限り、詩にどれほどの時間とエネルギーを費やすかということに日々判断を迫られながら生きてゆくことになる。ぼくもそうだったし、Sさんもそうだった。

ぼくは詩人としての人生よりも生活人としてのレールに乗った。でもSさんはそうではなかった。ぼくは大きな会社の経理を四十年以上やって、その合間に詩を書いたり、いやになってやめたりして生涯を過ごした。つまり詩はたいてい生活の後ろに隠れていた。安全な場所で書いていた。とはいえ人一人、人生をやってゆくというのはそんなに容易なことじゃない。仕事って、ドラマなんかでは職場でうろうろしているだけのように見えるけど、あるいは誰にでもできることのように見えるけど、実際はドラマのなかほど気楽ではないし、胸が痛くなるようなことがしょっちゅうある。だから仕事を定年までやりとげられたのもすごくラッキーだったと思う。

会社を定年で辞めて、やっと詩に全部の時間を費やせるようになった。でもそのときにはもうぼくは六十代後半になっていた。なんとも遅いなという感じ。しなやかな感性なんてとても言えない年齢になってしまっていた。でもSさんはぼくとは違ってずっと詩に重きを置いていた。惜しみなく時間と能力を詩に費やしてきた。ぼくとSさんと、二人の詩人としての結果は言うまでもない。量も質も見事な詩をSさんは残した。

詩にもたれかかる覚悟はぼくよりもずっとあった。Sさんのたくさん書き残してきた詩を読んでみると、詩のなかに彼が過ごしてきた生活の様子がしっかりと書かれている。堂々と書いている。生活のなかで家族と手作りの幸せを大事に取り囲んでいるような、その取り囲み方を見せつけるような詩を書いている。すごいなと思いながらぼくは読んでいる。

ぼくは別に生活を詩に書けと言っているわけではない。自分が選択した人生を堂々と生きているその姿。日々のすべてを詩の素材にしてしまう、詩に利用してしまうことのしたたかさと覚悟に胸を打たれるわけ。詩にもたれかかる覚悟があったから、その覚悟が本物だったから書けたんだと思う。生涯を悔いなく過ごすなら、自分の人生のなかで詩にどれほどの時間と情熱を注いでいくかをそれぞれの人が決めなきゃならない。ただ少なくとも人には、詩に傾けた人生、詩にもたれかかった人生というものを送る自由があると思う。そこにかけがえのないものがあると思う。そうやって多くのすぐれた詩を残した先人たちがすでにいる。

ぼくが言えた義理ではないけど、人それぞれの人生の選択だから、そばにいる人がわかっていてくれて、自分が真にそれを選ぶ覚悟を持っているなら、その人の人生にとって詩が最も大切だと思うことは決して妙な考え方ではない。詩を作ろうとする熱は、一生を後悔なく過ごすあたたかさを与えてくれるものだと思う。お前はそんなふうに生きなかったじゃないかって言われるかもしれないけど、だからこそわかったこともあるっていうことです。

国会図書館で詩を読む

それから、最後にひとつお勧めの話です。今日の話の冒頭に出た好川誠一の詩をぼくがどこで読んだかというと永田町にある国会図書館なんです。詩を読むってふつう、本屋で詩集を買ってくるとか送られてきた同人誌を読むとか、そんな感じだと思う。それはそれで大切だと思うけど、本屋に置いてある詩集ってこれまでに日本で書かれてきた詩のほんの一部でしかない。たまには腰をあげて昔のすぐれた詩を読みに行ったほうがいい。

国会図書館は、そこに行けば時代を超えてさまざまな詩を読むことができる。詩集にも載らずに詩の雑誌の片隅に載っただけのか弱い詩もいくらでも読むことができる。歴史を超えて読みつがれている詩を読んでいるだけではなくて、時代からは消えてしまったけれども小さな息をし続けている昔の詩の、その息を聞きに行くことも詩を読む者にとってはひとつの幸せになる。

詩って、誰でもが読む能力を持っているわけではないけど、幸いにもあなたたちにはその能力がある。ある休日の朝に、とくにその日に予定がないというときには、国会図書館に行ってひがな一日、昔の自分のように生きた人の詩を読むのもいいと思う。図書館のＰＣ画面のなかには、さまざまな詩と詩人がぼくらに読まれるのを待っています。

2019.7.25　池袋

頭のいい人はすぐれた詩を書くことができる

いわんや悪人をや

話はいきなり変なところから始まりますが、親鸞っていう人がいましたね。ぼくの家は浄土真宗なんですけど、ウチの親は世間並みにはお寺に行くものの、それほど宗教に対して熱心な人ではなかった。その親の子であるぼくも自然とそうなりました。法事以外はお寺には行かない。だから浄土真宗だからどうこうというのではなくて、ぼくが言いたいのは親鸞っていう一人の人がいましたということだけです。

ところで、詩を読むって、いろんな詩があっていろんな読み方があるけど、読んでいてそうだよな、確かにそうだなと共感して感動することがありますね。格言とか名言、アフォリズムを読んだときになるほどうまいことを言うなとか、言われてみればそうだったなとか、そういう感じです。そういう感じも詩のなかのぐっとくるときの感じ方と共通するものがあるわけです。萩原朔太郎や寺山修司がアフォリズム風なものを書いていたのも、詩と近いからかなと思うんです。

何が言いたいかと言うと、親鸞ってなかなかいいことを言っているなと思って。いまさらですけど、ひとつ誰でも知っている一番有名な言葉をここに出させてもらいます。「歎異抄」のなかの「善人なおもて往生をとぐ、いわんや悪人をや」という言葉です。「歎異抄」というのは親鸞が言った言葉をお弟子さんが書きとめたもので、じつは親鸞はこんなことを言っていない、これはお弟子さんの創作だという説もあるらしいんですけど、それはともかくこういう言葉があるわけです。

意味は「善人でさえ救われるのだから、悪人はなおさら救われる」というものです。ひねった言い方です。ふつうだったら「悪人でさえ救われるのだから、善人はなおさら救われる」というところですね。誰もがふつうに考えるのとは反対の方向から言っています。逆説的です。そういう意味でも現代詩の作法に則った言葉とも言えます。逆方向から物事を見ると真実が垣間見えてしまうということです。最近なぜかこの言葉が繰り返しぼくの頭のなかをめぐっているんです。

会社を辞めてからこのところほぼ毎日、ぼくの頭のなかは詩のことで占められているわけですが、詩のことを考えているうちに親鸞のこの言葉に行き着いたんです。つまり「善人なおもて往生をとぐ、いわんや悪人をや」。これって詩にも同じことが言えるんじゃないかなって。

この言葉を詩を書く人に移し替えてみると、こんなふうに言い換えることができます。「頭のいい人はすぐれた詩を書くことができる、まして頭の悪い人にすぐれた詩が書けないわけがない」。ちょっと考えてみてください。思い当たるところがありませんか？　「頭のいい人はすぐれた詩を書くことができる、まして頭の悪い人にすぐれた詩が書けないわけがない」。なんかどこかわかるような気がしますね。

別の言い方をするなら「才能のある人はすぐれた詩を書くことができる、まして才能のない人にすぐれた詩が書けないわけがない」。あるいはこうも言えます。「要領よく生きられる人はすぐれた詩を書くことができる、まして何をやってもダメな人にすぐれた詩が書けないわけがない」。もっと言うなら「お金持ちはすぐれた詩を書くことができる、まして貧しい人にすぐれた詩が書けないわけがない」。「幸せな人はすぐれた詩を書くことができる、まして不幸せな人にすぐれた詩が書けないわけがない」。「何ものも失うことのない人にはすぐれた詩が書ける、まして大切なものを失った人にすぐれた詩が書けないわけがない」。

きりがないのでここらでやめておきます。すべてを逆説的に言えばいいというものではないけど、この感じ方というのはぼくのなかでそれなりに納得がゆくものです。「頭のいい人はすぐれた詩を書くことができる、まして頭の悪い人にすぐれた詩が書けないわけがない」。頭の悪い人と言うとちょっと語弊があるかもしれないけど、ここで言う頭の悪い人っていうのは時間があるのに本をあまり読まない、勉強にも身が入らない、何をやってもものにならない俗に言うダメな人、そういう人のことですが、そういう人って自分はダメだといつも世の中をすねた心で見上げている。その世の中を見上げる恨めしげな眼差し、そのすねて劣等感にさいなまれて何とかしようとしてできないもどかしさが詩につながってゆく。

どうして自分は人並みにできないんだろうと絶望したり、その絶望のなかには何か拾えるものがないだろうかと勝手な希望を持ってみたり、生きていることについてさまざまに考えてしまう。その考えが詩につながってゆく。一見なんの役にも立ちそうにもない単なる物思いが、詩を作るためには大切な源になっているのではないか、詩を作る厳かな悲しみになっているんじゃないか、生まれ出たことの悲しみに通じているんじゃないかと思う。これって結構、親鸞の「善人なおもて往生をとぐ、いわんや悪人をや」の根本思想の考え方からずれていないようにも思える。自分は人よりも秀でているという思い上がった意識を捨てられないで、自分のダメさに気づいていない人は救われないんだって言っているわけですから。

自慢を始めたらおしまい

こないだも喫茶店で原稿を書いていたら、近くの席にぼくよりもちょっと歳をとった七十代くらいの男の人が五人お茶を飲みながら話をしていた。どうして男の年寄りって声が大きいんだろうと思います。「ぼくは京都大学を出ている」とか「そうかこのなかで国立《こくりつ》じゃないのは君だけか」とか、学歴のことを大きな声で話をしている。七十過ぎてもう学歴なんかどうでもいいとぼくなんか思うけど、それに続いて、どれほどすごい仕事をしてきたとか、一時は部下が三百人いたとか、五人ともずっと自慢話をしていた。大きい声で、たぶんその喫茶店にいるみんなに聞いてもらいたいんだろうなと思っていた。おそらくひとりひとりは悪いこともせずに地道に生きてきたんだと思う。むしろ人生の成功者の五人かもしれない。でも、歳をとると、何を人に語るべきかをつい見失う。自分も気をつけなければと思った。自慢を始めたらおしまいなんだって。そのときにも親鸞の言葉を思い出した。

うまいへただけが価値じゃない

それから、このあいだ「朝日新聞」に、長年引きこもっていた人が書いた詩が載っていました。引きこもっていた人に詩が書けるって全然不思議じゃない。だってとくに生産的なことをしているわけでもなくずっと自分の奥底に潜って考えているわけですから。それって詩人のやっていることと変わりがない。九月三十日の朝刊の生活欄に載っていた。「「ふつう」にならなきゃいけないの?」という記事です。「二十年間ほぼ外に出られない男性　詩で問いかけ」という副題も付いています。そこには二篇の詩が載っていてそのうちのひとつは「ふつう」という題の詩でした。

詩の内容を要約すると、みんながぼくらにふつうになれと言ってくるけど、「「ふつう」というギプスのせいで／ぼくらはいっぱい傷ついて／ひとりぼっちでないてきた」という吐露から詩は始まります。つまり、ぼくらはふつうには届かないのに、変わらなければいけないのかという訴えが書いてあり、「ほんとに変わらなきゃいけないのは／ほんとにぼくらのほうなの？／ぼくらは「ふつう」にとどかないのに」というところで詩は終わっています。

この詩について、詩を読み慣れている人はいろいろ言いたいことはあると思います。自分を締めつけてくるものをギプスに喩えていますが、それによって自分が傷つくというのはとても単純な比喩です。また、ここで訴えていることも自分の立場だけからの訴えで、まわりの人の考えに対する想像力が足りていないようにも見えます。たとえばこの詩を「現代詩手帖」に投稿しても入選しません。でも、この詩を読んでぐっとくる読者層がいることも事実ですね。つまり単純な比喩だからわかりやすいし、相手の立場を切り捨てなければ一篇の詩なんてできない。そういう考え方もある。

また、この詩が書かれることによって共感する人や救われている人がいるのだし、何よりもこの作者自身が救われている部分があるわけです。難しい詩を書いて苦しんで悩んで生活しているよりも書きたい詩を書いて救われているほうがよっぽど賢いかもしれない。ぼくは別にこの詩を甘やかそうとは思っていない。作品としては、もっと深く考えられてもいいし、もっと言葉が選ばれてもいい。

でも、もしもっと深く考えられてもっと言葉が選ばれてこの詩が書き換えられたら、それまでぐっときていた読者がこの詩をわからなくなる可能性もあります。もしもっと深く考えられてもっと言葉が選ばれてこの詩が書き換えられたら、この作者は詩を書くことに魅力を感じることができなくなる可能性もあります。詩を書かなくなります。詩でさえ書かなくなります。

ぼく自身、これまで長いあいだ親しんできた詩を元にして詩とはこういうものだと決めつけているところがある。その決めつけによって詩の良し悪しを判断してしまう。でも自分の判断がどこまで正しいかなんて誰にもわからない。あるいは正しい判断なんてもともとどこにもなくて、妙な力関係があるだけなのかもしれない。ぼくが詩と考えるものは詩のなかのほんの一部でしかない。

自分が書いているものが詩だと考えるのはかまわない。でもいろんな詩があってもいい。それぞれの詩にそれぞれの読者がいていい。当たり前のことですけどそう思うんです。それぞれの詩に上等も下等もない。あるひとつのはかり方ではうまいへたの違いがあるかもしれないけど、そのうまいへたは必ずしもその詩の価値にそのまま影響するものではない。詩を書くものはもっと広く詩を見ていたい。もっといろんなふうに感じられるようになっていたい。

その引きこもりの人は、引きこもるだけの個別の理由があったのでしょうから、ぼくがとやかく言う筋合いのものではない。ぼくがさっき言ったダメな人というのは、ほかでもないぼくのことなわけです。小さい頃からなぜもっと熱心に物事に集中できないんだろうとか、もっと勉強ができないんだろうとか、ずっと劣等感のうちにいた。

詩を書いてはいたけど、詩人って、大学の先生とかいかにも頭のよさそうな人がたくさんいて評論なんかを読んでもなかなか理解が届かないものがある。雑誌に載っている詩を読んでも難しい詩がたくさんあって、ぼくなんかの書いている幼稚でわかりやすくて誰にでも書けそうな詩は書く意味がないんじゃないかといつも苦しんでいました。それでも書き続けていたのは、無理せずに自然と湧き出てきたものだし、これ以外に自分はいないと思っていたからです。やっぱり生きることにどこか鈍感なところがあったのかなと思うのです。

読みやすくするために進化した

ぼくはこれまで本もあまり読まなかったし、そういう意味で詩のよい読者ではなかった。自分は人の書いたものに対して悪い読者なのに自分の書いた詩に対してばかりみんなによい読者であってほしいというのはあまりに身勝手な考え方なので、そんなことは考えないようにしています。ぼくが本を読むのが面倒だなと思っているように、多くの読者はぼくの書いた詩なんて面倒で読みたくないだろうと思います。そう確信しています。読者に対しては昔から根っから悲観的でした。

で、読みたくもない人にどうやって少しでも読んでもらうためにはって子どもの頃から考えてきました。そうすると、詩を読むのを面倒だと思っている人になんとか目を通してもらえるような詩ができないかとつねに考えるようになります。つねに考えているとぼくの書く詩は、不思議なことにだんだんそっちに近づいてくる。そうなってくる。読んでもらえる詩に近づいてくる。進化の法則みたいなものです。キリンの首が長くなったのと同じです。自分の詩を読んでもらえるようにするために、読みやすくするためにはどうしたらいいだろうと考えているうちに、ぼくの詩の一行の長さが少しずつ短くなっていった。キリンの首と逆ですが。

読む人が大変な思いをしなくてもいいような、そんな短さの詩になってきた。ぼくの詩の一行が短いのは、ぼくのなかでは苦しんでそうなった詩の進化の一種です。他にも読んでもらうための工夫はいろいろしました。一ページのなかに文字の埋まっていない空白を広くしたり、難しい漢語はいやがる人がいるだろうからひらがなを多用したり、抽象的な言葉は極力使わずに、語りかけるように書いてみたり、凝った構文は使わないようにしてみたり、比喩を少なくしたり、文章の枝葉のような形容詞や副詞はできるだけ使わないようにしたり、言葉の意味はいつも使っているそのままの意味を尊重しようとしたり、それはそれは涙ぐましい進化への道のりをたどったわけです。

つまりぼくは本をあまり読まないから、本を読まない人の気持ちがよくわかるんです。だからぼくのような怠惰な人でも読んでみようと思える詩を書こうとした。自分が書きたい内容も、その詩を読みやすくする行為とどこかでつながってくる。どういうふうにつながっているかって言うと、そういうダメな自分がこの世で生きていましたっていうそういう内容の詩を書いてきた、まさにそれが掛け値なしの自分なのだし、そこ以外にスカシタ顔をして詩なんか書けないと思った。

賢く振る舞うような詩は書けない。人を教え諭すような詩は書けない。人を煙に巻くような詩は書きたくはない。あからさまでぼくの生きていることが全部ばれてしまうような、みんなと同じようなことを考えて生きているんですよ、退屈なことばかり考えているんですよと、そういうことしか書けない。つまりは「頭のいい人はすぐれた詩を書くことができる、ましてぼくのように頭の悪い人にすぐれた詩が書けないわけがない」という、親鸞もどきのこの言葉に、これまですがるようにして書いてきたんです。

2019.10.6　横浜

わからない詩とどう向き合うか

若さゆえの息苦しさ

先日、若い人の詩がたくさん載っている雑誌をもらって、コーヒーを飲みながらそれを眺めていたんです。なにしろたくさんの詩が入っているから読んでいるとはいえ面白いのはないかな、そんな感じでページをめくっていた。詩を読むことは好きだし、いいのもあるなとか、頑張っているなとか思いながら読んでいたんだけど、多くの詩に何か共通したものを感じ始めた。それはなんだろう。なんて言ったらいいんだろう。息苦しさに似たもの。なんだろう。若さゆえの息苦しさなのかもしれない。そう思って、たしかに若いってそれだけで窮屈なものだから、詩を作ることにも反映しているのかなと思った。でもそれだけではないものがあると思った。

こじつけになるかもしれないけど、現代詩っていう枠組みのなかで迷っている、困っている、そんな感じがした。それって、人のことをあだこうだ言えないんです。思い出してみれば自分が若い頃にもそうだったな、窮屈な書き方をしていたなと思ったんです。その窮屈さって必ずしも悪い意味で言っているのではなくて、そうやって若い頃の息苦しさのなかからすぐれた詩を生み出した人もたくさんいた。だからこういった息苦しさのなかからもすぐれた詩人は出てくるのだろうなと思う。

そのときに思ったのが、もっと歳をとって長年詩を書いている人たちが一方にいるわけで、そういう歳をとっても詩を書き続けている人とこの若い人たちとの違いって何かと考えたんです。若い書き手と、長年詩を書いていて六十代、七十代、八十代になっても詩を書いている人との違いってなんだろう。もちろん個人差があるから一概に言えないけど、無理に言ってしまうとしたら、ひとつは「詩はわからない」という言葉に対する対処の仕方というか、態度の決め方にあるんじゃないかと思う。

若くて、現代詩はこういうものだよと学んだ通りに考えて、その枠組みのなかで自分の個性を作り上げている人たちにとって、「わからない詩」というのは、即、自分の理解が足りない部分あるいは自分の詩の世界での欠けている部分として受け止めてしまう。だから詩を作るときに、知らず知らず自分にはわからないもの、わからない詩に対してどこか気を遣った詩を書いてしまう。そういうところがあるのではないか。

言い方を変えるなら、自分にはよさがわからないけれども、こういう詩はよいとされているからそのよさのどこかを自分の詩に取りこまなければならないという思惑が働いてしまう。わからない詩に影響を受けるという妙な図式にはまってしまって、わからない詩に気を遣っているからよけいに窮屈な書き方になる。

一方、歳をとって長く詩を書いている人は「詩を書いていればわからない詩や詩人っていつも何割かはいて、そういう人のなかにも自分にはわからないけれども本当はすぐれた詩を書く人もいるのは知っているけど、それはそれ、そのままでいいや。だって何十年も詩を読んでいてもわからないのだから、自分にはどうしようもないじゃないか」と、割り切ってしまっている。そういう、長年詩を書いている人っていうのは、わからない詩や詩人に対してもう気を遣うことがなく、あきらめているから、ずっとのびのびと個性を発揮できている。まわりをきょろきょろしないし、これしかないと決めている。よくも悪くも。そんな気がする。

すぐれた詩を見落とさない

わからない詩とどう向き合うかというのは、詩人にとってとても重要なことだと思う。詩を書いたり読んだりしない人にとっては疑問かもしれないけど、どんな詩人にもわからない詩というのがある。偉い詩人がどんな詩も理解できると思っていたら、それは間違い。詩の評論家にとっても、大御所にも、読み手の立場になったときにどこがいいかわからない詩というのは必ずある。これは本当。詩ってほんとに妙な世界だと思う。

「だったら、あなたはなぜ平気な顔をして詩の投稿欄の選者や詩の教室をしているのか。もしもあなたに魅力のわからない詩があって、それが来たら見落としてしまうではないか」と聞かれるかもしれない。その質問はしごくまっとうだと思う。その質問に対して気の利いた答えをぼくは持っていない。ぼくの考えている詩とは外れたところにある輝かしい詩が目の前にあっても、ぼくはそれを無残にも見落としてしまうかもしれない。それでも、ぼくが詩と考える、すぐれた詩と受け止めてきた詩は、投稿欄でも教室でも決して見落とすまいと思っています。

2019.11.14　池袋

人と比べない勇気

今日の話は「人と比べない勇気」という題。

人と比べるとロクなことはない、詩を書く喜びは本来そんなところにはないよという話です。

言葉に敏感でいたい

以前、「ひかりは西へ」っていうコピーがありました。ずいぶん昔、ぼくがまだ若い頃。電車に乗ってつり革につかまってぼーっと窓の外を見ていたら若い男女の声が聞こえてきた。たぶん大学生くらい。聞くともなしに二人の話を聞いていたら、ひとりが「ひかりは西へ」のことを「あれはよくできたコピーだね」と話していて、新幹線ひかりが大阪から西の方向へも開通したということなんだけど、それだけではなく、光、つまり太陽はつねに西へ向かうという意味も含んでいる。それに対して「へえ、そうなんだ」ともうひとりが感心していた。ぼくが気になったのはそのあとの言葉だった。「知らなかったの？　詩を書いている人が言葉に対してそれでいいの？」って。

それを聞きながらぼくはなるほどと思った。かりにも詩を書いているならもっとまわりの言葉に敏感でいたい。生きていれば聞こえる、見える言葉すべてに感じ入っていたい。言葉って詩のなかだけ、本のなかにだけあるものじゃない。あらゆるところにある言葉をぼくらはもっと敏感に感じていたい。

あらゆることは文学なのか？

ぼくらは詩を書いていて、言うまでもなく言葉と正面から向き合っている。言葉というものの姿や正体に目を凝らして日々を過ごしているわけです。この一年でつくづく感じたことは、言葉というものが世の中を動かしているというか、いまさらだけど言葉がすべてを表しているということです。人の一生って、どんな言葉に囲まれて生きたかということそのものじゃないか。生きているうちにいろんな言葉を知る、言葉にまみれて生きていかざるをえない。

たとえばGSOMIA（軍事情報包括保護協定）なんて言葉があるけど、去年の今頃日本人のうちの何人がこの言葉を知っていただろう。もちろん時事用語とか「はやり言葉」というのはそういうものだけど、生きている人が知っている言葉と、かつて生きていた人は知りもしない言葉があることに深い驚きと切なさを感じてしまった。そのGSOMIAという言葉、別にここでぼくの思想信条を述べるつもりはなくて、ただGSOMIAから言葉の一面を垣間見た気がしたんです。

韓国がGSOMIAをやめるとか継続するとかさんざん報道されたけど、結局、韓国は土壇場で継続することになって、その経緯について、ひとつの決断、ひとつの事実に対して、評論家の解釈が人によってかなり違う。さらに当事者である韓国と日本の担当者や決断した政治家の言うことでさえまったく違う。

これが文学作品ならわかるわけ。ひとつの作品について人によって解釈も評価も違ってくるのは当たり前。でもこれは国家間の交渉事であり決定事項であって、まぎれもない事実。いまやまぎれもない事実も、政治的な決着も、人によって受け取り方の違う「文学」になってしまったんだな、というのがぼくの感じ方。なんだ、あらゆるものは文学だったんだって思った。たぶん憲法だって六法全書だってそうなんだろうと思う。すべては文学だからあらゆるところが曖昧で、どんな解釈もできて、正しさなんかどこにもなくて、だから戦争なんかが起きる。

あるいは国という概念だって文学かもしれない。これからもさらに文学的になるだろう。言葉は揺るぎないもので信じられるなんて妄想なんだ。言葉っていつだってふらふら揺れていて、その揺れの感じ方も人によって違う。それは文学や詩の世界だけではなくて政治や経済の世界も同じじゃないか。最近そうなったのではなくてずいぶん昔、言葉が生まれたときからそうだったのだろうなと思う。

歴史的事実なんてもちろん言葉の綾でしかないし、憲法だって言葉の綾かもしれない。もしかしたら生きていることそのものも、土台から言葉の綾でしかない。その言葉の綾と格闘してぼくらは詩を書いているわけだから、つまりは世の中の核心に触れていることになる。生きていることそのものを書いているということになる。あらゆるものが文学なのだから、この世にはどんなことにも勝ち負けはないってぼくは感じている。人と人の競い合いや争いにも勝ち負けなんて決してない。あるのはそれぞれの人のその時々の解釈でしかない。そう思うんです。

生きるための詩

先日、今年（二〇一九年）の「現代詩年鑑」が出ました。「現代詩年鑑」というのは「現代詩手帖」の十二月号のことで、見ればわかるけどいつもの号よりもずっと厚い。このなかにはこの一年に書かれた詩がたくさん載っています。長く詩を書いているとたまに年鑑に詩を載せてもらえるときがあって、今年はぼくの詩も載っています。今年は百三十篇くらい載っていて、その作品のページの最後の一篇としてぼくの書いた「続・初心者のための詩の書き方」が載っています。別に自慢でも、いい気になっているわけでもなくて、この詩が最後に載っているということにぼくは感謝をし、感動をしてしまった。これは連作詩で、ここに載っているのは一〇一章から一〇九章になる。この一〇九章が全作品の最後の場所にあります。ちょっと読んでみます。

☆

続・初心者のための詩の書き方　一〇九

生きるための詩
というものがあっていいと思う

生きていくために
ただ書いている詩が
あっていいと思う

生きがいなんてない
と
感じる人が
俯いた先で書ける詩があっていいと思う

どこにもでかけたくなくて

誰にも会いたくない人が
この世の端っこで書く
生きるための詩が
あっていいと思う

（「森羅」十九号、二〇一九年十一月初出）

こういう詩です。大した詩じゃない。でもね、二〇一九年の「現代詩手帖」の最後に、つまり今年の最後にこの詩が置かれていることにちょっと泣きそうにもなる。その年に発表された順に並べられているのはわかっているんだけど、ともかくも編集の方に深く感謝したい。年寄りのセンチメンタルに思われるかもしれないけど、この詩には、ぼくの思い入れがある。「生きるための詩が／あっていいと思う」。これが、ずっと詩をやめていたぼくがまた詩を書き始めたひとつの理由だったから。これをどうしても言いたかったから。言い残しておきたいと思ったから。

この世界には、強い人ばかりが生きているわけではない。頑張ってもうまくやっていけない人もたくさんいる。ぼくもそう。あるいはどうにも情けなくて仕方がなくなるときってある。生きているとそんな日がたくさんあって、そんなときにとことこと訪ねていける詩があってもいい。自分には書ける言葉があるという小さな誇りのようなものとしての詩があっていいと思う。

ここにいるぼくらには詩が書けます。その詩に、たまにはぼくらの支えになってもらってもバチはあたらない。詩の一行を一本の杖のようにして身をもたせかけてもかまわない。詩の一行一行を柵のようにして自分のまわりにめぐらし、守ってもらってもいい。

言っておきたいこと

詩には、二種類あると思う。ひとつは見栄えを気にして作り上げた詩。どういうふうにすれば人の心に深く入りこめるかということに重点を置いている詩。ふつうみんなこういう詩を書こうとしている。それでいいと思う。でも、それだけではなくて、もうひとつある。そっちももちろん人に深く届けたいと思っていないわけではないけど、いまどうしても言っておきたいことがあるときに書く詩。

どうしても言っておきたい、書いておきたい。その詩が、どうということもなくて、特徴がなくても、でもせっかく詩を書いているのだから、わかってくれようとくれまいと、とにかく書いておきたいと思う詩が確かにある。さっきの詩はそういう詩なんです。とにかくこれを書きたかった。書きたかったというよりも言いたかった。生きるための詩があっていいと思う。

ぼくはこれまで何度も詩の世界から逃げてしまって、詩に背を向けるようにして生きていた時期が長かった。それは主にぼくの精神が詩に関わることに耐えられなくなって、その都度逃げていたんだけど、最後に逃げたのが二〇一一年の末、震災の年ですね。その頃もぼくは詩の教室をやっていて、西荻窪で参加者が十五人ほどの教室だった。結局、ぼくが急に詩をやめてしまったから無責任にもその教室を放り出してしまった。六年経ってすごすごと詩に戻ってきたのが二〇一七年、一昨年です。つまりその年にこの教室を始めました。自分にはやり残したことがあるはずだ。詩を学んでいる人たちに言っておきたいことがある。それが「生きるための詩が／あっていいと思う」ということでした。

ヒトリキリ

詩を書くっていう行為は人によって多少の差はあるかもしれないけど、たいていの人はヒトリキリのところから始めます。ヒトリキリです。誰かの詩を読んで感銘を受けて、その感銘が自分の生きていることにつながっているように感じて、そのまっすぐな道を自分も少しは歩めるのではないかと思って、おそるおそる書いてみる。たいてい書き始めはそんなところかなと思うのです。

ぼくもそうでした。ぼくが小学生の頃に姉が詩を書いていて、姉がどんな詩を書いていたかは覚えていないんですけど、姉はその自分で書いた詩をノートに書き写して、ノート一冊を自分の書いた詩で埋めていた。つまり詩集みたいにしていたんですね。それを見たぼくは、人の行為としてこんなにすばらしいことがあるのかと驚いたんです。自分にはロクにできることもなく、勉強も中途半端。いつもぼーっとしていた。たいして興味の持てるものがなくて、何事にも自信のない少年だったんですけど、姉のノートを見て震えました。これなら自分にもできるかもしれないと思った。

それで、自分でも書き始めて、いろんな詩を読んで、姉に頼んで『中原中也全集』を買ってもらってそれを枕元に置いて寝る前に一生懸命に読んでいました。あのときにぼくは詩と出会った。詩というものがこの世にはあるんだと知った。なんて素敵なことかと思った。詩って一人で書くもの、一人で始めるものなんだっていうこと。それを忘れないようにしよう。つねにそこに戻ってこなければ妙なことになる。

かつて、ぼくのそばにとても努力をする人がいました。その人も、ぼくと同じように、ひっそり、あるいはびくびく生きていた。その人のすぐれたところは人を尊敬する能力を持っていることでした。その人もぼくのように詩に惹かれ、文学に惹かれ、すぐれた詩や評論に強く惹かれ、すぐれた詩人や文学者を尊敬していました。人の素敵な言葉をノートに書き写し、少しずつ詩を書き始め、そのうちじつに美しい詩を書くようになった。それもこれも自分の能力を見つめ、人のよいところを尊敬し、地道に学んでいった成果だったとぼくは信じる。器用なタイプではなかったし、人より早くものごとを完成する人じゃなかった。何事によらず人よりも速度が遅かった。詩を書くのもゆっくりだった。

なぜそのことを今日話すかというと、その人は、のちに生きていくことに絶望して自ら滅んでしまったからです。最後の数か月、その人は自分のことを人とひどく比べていた。そのことをぼくはいつも思い出す。精神状態が不安定な時期の言葉なので、どこまで本心かわからないのですが、自分の書くものは人に比べてどうだということをしきりに言っていた。その作品に対する扱いが人と比べてどうだとかそんなことを言い始めたのです。もともとその人はそんな考えをする人ではなかったんです。ねたみとかそねみとか怒りとかいう言葉からとても遠い性格の人だった。

でも、作品は発表されれば、いやおうなく人と比べられ、そのたびに悔しがったり有頂天になったり元気がなくなったりしていたんだと思う。もともと人と比べるなんてことを考える人じゃなかったから、逆にそういうことに対して抵抗力がなかった。だから自分の詩を人の詩と比べずに生きていく強さや鈍感さや勇気がなかった。人がどうであれ自分一人でもやってゆけるという覚悟を持てなかった。

詩は時に人を滅ぼしてしまう。それを知っておいてほしい。それも、真面目で、真剣に詩と取り組んでいる人ほど気をつけてほしい。ぼくらは詩を書くために生きているのではない。生きるために詩を書いているんです。ぼくらは自分を滅ぼすために詩を書いているんじゃない。生きるために書いていたいのです。「生きるための詩が／あっていいと思う」という詩にはそのような思いが込められています。

書き始めた頃を思い出す

詩を書いていれば、たまには人からほめられることもあります。一生懸命に学んでいれば奇跡的にすぐれた詩も書けるようになります。でも問題はその先だと思う。どんなに美しい詩を書けるようになっても、それで自分がどれくらいほめられたいかなんて思わない覚悟や勇気が必要です。自分の気持ちを押しとどめるやせ我慢が必要。そのためにはどうしたらいいか。これはひとつの提案です。つねに昔の自分を思い出す。詩を書き始めた頃の、たった一人で書いていた頃のことを何度も思い出してそこに戻っていこう。

人の詩を読んでそのよさを学んだり自分の詩に取り入れたりすることはかまいません。でも人の詩と比べて、あの人は評価されているとか考え始めて、自分が立っている場所を疑う必要なんかない。この世には勝ち負けなんてどこにもない。そんなものに翻弄されて生きていても傷つくだけです。いつだって詩は一人で、手元で、自分のことを見つめた目で書かれるべき。いくらまわりにたくさんのすぐれた詩があったとしても、それと比べることのない詩の書き方がされるべき。そうできる勇気と覚悟を持ちましょう。

この教室は自分の書いたものが少しでも人に通じるようにということを目標にしてやっています。でもその先のことも考えてほしい。それは決して難しいことではなくて、単に自分が詩を書き始めた頃の日々を、わくわくとただ書きたいから書いていた日々のことを時々思い出してほしいということ。そこにこそ詩があるんです。そこにしか詩はない。詩は、書いた人を滅ぼすものではなく、生かすものであってほしいとこころから願っています。

生きるための詩が
あっていいと思う

2019.12.1　横浜

何が一番恐いだろう

今日の話は「何が一番恐いだろう」という題です。

今日は今年（二〇一九年）最後の詩の教室なので、詩を書くってなんだろうというところに戻りたいと思います。詩を書くってなんだろうという問いにいきなり入ってゆく前にひとつ考えたいことがあります。

自分をバカにしない

生きていて、大人になって、自立して生活をするようになる、連れ合いとともに人生を送る、あるいは一人で生きていく、そのときに自分にとっていま何が一番恐いだろう。一番恐いものを考えることが、その裏側にある一番大切なものを考えることになる。生きていくって、経済的な問題ももちろん大きいけれども、それよりも精神的なことが大きい。人って思っていたよりもずっと弱いし脆い。弱いし脆いと気づいたときには手遅れになっていたりする。

ぼくの場合、一番恐いことはなんだろうと考えると、「自分をバカにする自分がいる」ということだと思う。これってすごく恐い。

人って、それぞれに得意なこととそうでないことがあります。でも、子どもの頃から何をするにしてもその分野で自分よりもすぐれている人って必ずいる。勉強にしろ仕事にしろ趣味にしろ、いつでも自分よりもすぐれた人がいる。そういう人を見つめてしまうし、自分はなんてダメなんだろうと考えてしまう。

生きることは負けること

こんど東京でオリンピック（二〇二一年七月二十三日-八月八日開催）が開かれます。オリンピックって、どんな競技でもいいけど、それぞれの種目で世界一を決めるための競技会ですね。たくさん生きている人がいるなかで誰が世界一なのかわざわざ決める奇妙な大会なわけです。移動する速さだったり、持ち上げる高さだったり、ボールを手際よく捌く能力だったり、人の行動をさまざまな分野に分けてそれぞれの世界一を決めようとする。もちろんオリンピックだけじゃなくて、文学賞だって、あるいはノーベル賞だって似たようなところがある。

誰かが誰かよりすごい。誰かが誰かよりもダメだっていうのを決める。ああいうのを見ていると、もちろん一位の人はすごいなって感じはするけど、どうしても目はそれ以外の人に向いてしまう。つまり、一位以外の人はみんな負けた人、敗者だということでしょう。一人を除いてすべての人は、自分はなんてダメなんだろうと思っている人とも言える。地球上のあらゆるところで、「自分はなんてダメなんだろう」という言葉があっちでもこっちでも囁かれているとどろいている。響いている。響き渡っている。かりにこんどのオリンピックで一位になった人だって、いつか別の人に負けるわけで、そのときにはその人も自分はなんてダメなんだろうと思うかもしれない。

つまり生きているって、すべてが敗者、負けた人なんだと思うんです。生きるって負けることなんです。オリンピックは極端な例だけど、そんなおおごとでなくても、日々、身近に自分のことをダメだと思うことってたくさんあります。ぼくも四十年以上勤め人をしてきましたが、感心してしまうほど仕事ができる人って必ずいて、そんなとき自分はダメだなって思う。自分はダメだなって思うところまではまだいいとしても、人よりも劣っていることばかりを気にして自分を軽蔑してしまったら、自分をバカにし出したら、とてもつらいことになる。その精神状態をつきつめてゆくと、もう生きてゆけなくなる。

ちょっと大げさかもしれないけど、つまりはそういうこと。ぼくが一番恐いのは、だから自分のことをバカにしてしまう自分がいること。それが一番恐い。「そうじゃないだろ。みんな敗者なんだから」と当たり前のことを言い聞かせてみても、いったん自分を軽蔑してしまったらなかなか立ち直れない。ゆきつくところまでいってしまう。

言いたいのは、特別な人なんてどこにもいないということ。だから、自分が特別でないことを悲観して、悲観するのはまだしもそれをもって自分をバカにしちゃいけない、自分を軽蔑してはいけない。自分をバカにしないために詩を書くっていう行為はこの世にあるんじゃないかとぼくは思う。繰り返します。詩を書くっていう行為は自分をバカにしないためにあるのではないだろうか。

人生の疑問に向き合う

詩を書くことは日記を書くのとは違う。もちろん日々に感じたことや考えたことを書いているから、日記と似ているところもあるけど、根本的に日記とは違う。自分のことや自分が見聞きしたことを書いているにしても、いったん詩に書いたものは自分から引きはがされたものになる。自分が書いたものだけど書いてしまったらもう自分じゃない。自分が書いたものだけど自分が書いたものではない。別の人格を持った、別の人が書いたものになる。

詩を書くってそのための大げさな準備や道具が必要なわけじゃない。そのままの自分が少し手を動かせば気軽にできる。それでいてやっていることは軽々しいものじゃない。自分って一体なんだろう、生きていくってどういうことだろうという疑問に正面から立ち向かうこと。堂々とした行為でもある。

詩を書いていなければ、自分とはなんだ、生きているとはなんだなんて疑問が頭に浮かぶことはあっても、それはそのまま消えてしまう。でも、詩を書くことによってのっぺりとした自分の人生に目を据えることができて、自分がなんなのかをつねに意識して生きてゆける。これってすごく大事なことだと思う。いま生きていることを感じながら生きることができる。詩を書くことによって、大げさなことではなくてもちょっとした出来事とか、ちょっと感じたことをしっかりと自分のなかにしまいこむことができる。

つまり、詩を書いている自分という、もう一人の自分を持つことができる。詩を書き始めるといつもは考えてもいないことを書いていたり、ふだんは使ったこともない言葉が自然に出てきたりする。そんなときの自分に対する驚きってすごいし、ああ自分にはこんなことも言えるんだ、書けるんだって、密かに誇りを持てる。詩を書くってなんてすばらしいことなんだと感じる。

もちろん詩を書かなくても一生を終えることはできます。ずっとうっとりと幸せに暮らしてゆけるなら詩なんか書かなくてもいい。でもそうではないでしょう。ほとんどの人にとってつらいことや思うにまかせないことが次々に襲ってくるのが生きるっていうことなので、そんな状況では自分が生きている場所、立っている場所をしっかり見つめることが必要なんだと思う。

詩を書くことによっていろんなことをさんざん考えて生涯をまっとうしようというのが、ぼくの皆さんへの年末のささやかな提案です。ずっと自分を嫌いにならないために、自分を生涯バカにしないために、ひそやかに一生詩を書いていたいよね。

2019.12.19　池袋

社会を書く

今回、みんなが提出してくれた作品のなかに社会的な問題を取り上げた詩がいくつかありました。ひとつは、太平洋戦争での戦没学生のことを書いた詩、もうひとつは、昨今の日韓関係について言及している詩でした。この二つの問題は言うまでもなくつながっていて、元をたどれば日本のかつての軍国主義が発端となっている。このことについて考えてみます。

真の姿とは

この会は詩の教室ですから、言葉をどのように人の胸に届かせるかということを学ぶ場所であって、日韓関係について意見を戦わせる場所ではない。軍国主義的な心がいかに私たちのなかに残っているか、日本と韓国のどちらに非があるのか判定する場所でもない。ただ、日々この社会で生活していれば、詩を書くにあたって何か書こうという思いの根源に、社会的な、あるいは政治的なテーマが入ってくることは当然ありうるだろうし、詩のなかに政治的な意見が入ってきても決して不自然ではないわけです。

空気を吸わなければ生きていけないように、詩を書くぼくたちも、いやおうなくこの国で生きている。ぼくは年金生活者なので、朝や昼から食事をしながらテレビを観ていることもあるのね。そうすると、最近は一日中日韓関係のことをやっていて、多くの日本人は、それを見て日々の感情を揺さぶられたりしている。ぼくもテレビのコメンテーターの言葉に反感を抱いたり、強く同意したり腹を立てたり、気がつけば自分が聞きたくない意見の番組をあえて見ないようにしたりしている。そんな恐ろしい状態になっていて、そういう自分の感じ方や態度の浅ましさにはっと気づくことがあります。

ひとつの出来事を報道するのに、テレビからも新聞からも正反対のことが報道され、ぼくたちに伝えられる。報道の自由とか、多様性とかと言えば一見かっこいいけど、これほど映像や通信や教育が進んでいるにもかかわらず、じつは何も伝えていない。あるいは知れば知るほど混乱させるような伝え方になっている。だからと言って、ぼくは一概に情報を発信する側を責めようとは思いません。というのも出来事や事件の真の姿を見極めると言葉で言うことは簡単だけど、そんなことはもしかしたら不可能なのではないかとも思うからです。

いったい事象の真の姿とはなんだろう。すべての出来事はそのときのその人の感じ方、伝え方によってなんとでも解釈できる。その恐ろしさをこれでもかというほど思い知らされる。それは意識的にも無意識的にもされているわけです。昨今の日韓関係に起きていることは、詩を書く人間としても無視のできないことです。あらゆる言葉の姿が、日々ぼくたちの目の前を通りすぎていく。双方が投げ合う言葉の過激さ、危うさ、いかがわしさ。理解の浅さ、勝手な解釈。そして何よりも自分の考え方や感じ方の危うさ、いかがわしさも残酷につきつけられる。

いまの自分は、戦前の日本人とどこが違うのだろうか。もし違うとしたら、自身の感じ方が信用できないということを少なからず知っていることなのかなと思うのです。言葉はぼくたちの外にあるわけではない。社会的なことを書いた詩も、もちろん言葉で書かれている。日本語は、これまでにも戦争や軍国主義の血しぶきを浴びてきたし、いまだって浴びている。政治的な理念を共有するためにこの会があるわけではないので、おのおのが信じるところに従えばいいのですが、国と国とによって交わされる口汚い言葉、その姿をしっかりと見極めたい。

言葉で思いを伝えようとしている詩人であるぼくたちは、いま、世のなかに流れている言葉のいかがわしさやねじまがった姿にできるだけ敏感でいたい。ほかでもないその言葉で、かけがえのない詩を書いているのですから。

2019.9.19　池袋

Ⅱ　詩の話をしよう 1

自由詩の自由を楽しもう　茨木のり子の詩

ふだんぼくは、送ってもらった作品を一篇一篇読みながら、それに感想を書いているのですが、みんなが前よりいい詩を書くようになっている。体調や気のせいかなと疑ってみるけど、そうでもないみたい。どうしてだろうと考えるけど、よくわからない。そこが明確にわかったらすごいと思うけど、そんなに簡単にわかることではないらしい。がむしゃらに好きなことをやっていると、ご褒美のように届く場所があるということなのかな、という気がします。

二人の詩人

茨木のり子さんの詩への返事のような詩を書いてきてくれた人がいたので、今回は、茨木さんの詩について話してみようかと思います。茨木のり子さんと言えば、本屋に行けば必ず本棚に詩集が置いてある、二人の詩人のうちのひとりと言ってもいい。

谷川俊太郎さんと茨木のり子さん。この二人は日本では別格の詩人になっている。どうしてそうなのか。もちろんこの二人の詩が読者の胸を打つからという単純な話だけど、それってすごいことだとあらためて思う。他のたくさんの詩人ができないことを、この二人だけができるってどういうことだろう。

たぶんそういう能力って努力してたどり着けるものではなくて、あらかじめ与えられたものなのかなと思います。たぶん本人も意識していないところにあるもの。誰でもが手を伸ばそうとして届かないもの。別の言い方をするなら、多くの人に通じる詩を書こうとして通じたのではなくて、好きなことを好きなように詩にしていたら、それがたまたまたくさんの人に届く詩だった。そういうことなのかな。もしもこの世に谷川俊太郎さんと茨木のり子さんがいなかったらと思うと恐ろしい。多くの人に届く詩を書く詩人が日本にいると思うだけで嬉しくなってきます。

茨木さんの詩の特徴

今日は茨木さんの詩集を読んで感じたことを三点ほど話します。

まず、有名な詩、「自分の感受性くらい」と「もっと強く」の二篇を読んでみます。

☆

自分の感受性くらい

ぱさぱさに乾いてゆく心を
ひとのせいにはするな
みずから水やりを怠っておいて

気難かしくなってきたのを
友人のせいにはするな
しなやかさを失ったのはどちらなのか

苛立つのを
近親のせいにはするな
なにもかも下手だったのはわたくし

初心消えかかるのを

暮しのせいにはするな
そもそもが　ひよわな志にすぎなかった

駄目なことの一切を
時代のせいにはするな
わずかに光る尊厳の放棄

自分の感受性くらい
自分で守れ
ばかものよ

（『自分の感受性くらい』花神社、一九七七年）

この詩は、三行一連でできている。最後の連以外は具体的に例を挙げて、それに対する意見と叱責の繰り返しという形になっている。この詩の魅力は、それぞれの連への共感と説得力にある。それから、最後の連のダメ押し的な決めゼリフのすがすがしさ。こんなふうに感じる人はたくさんいるはずだけど、こんなに切れ味のよい詩にできるのは茨木さんだけだと思う。

☆

もっと強く

もっと強く願っていいのだ
わたしたちは明石の鯛がたべたいと

もっと強く願っていいのだ
わたしたちは幾種類ものジャムが
いつも食卓にあるようにと

もっと強く願っていいのだ
わたしたちは朝日の射すあかるい台所が
ほしいと

すりきれた靴はあっさりとすて
キュッと鳴る新しい靴の感触を

もっとしばしば味いたいと
秋　旅に出たひとがあれば
ウインクで送ってやればいいのだ

なぜだろう
萎縮することが生活なのだと
おもいこんでしまった村と町
家々のひさしは上目づかいのまぶた

おーい　小さな時計屋さん
猫背をのばし　あなたは叫んでいいのだ
今年もついに土用の鰻と会わなかったと

おーい　小さな釣道具屋さん
あなたは叫んでいいのだ
俺はまだ伊勢の海もみていないと

女がほしければ奪うのもいいのだ
男がほしければ奪うのもいいのだ

ああ　わたしたちが
もっともっと貪婪《どんらん》にならないかぎり
なにごとも始りはしないのだ。

（『対話』不知火社、一九五五年）

この詩の魅力は、なんと言っても一行目の、「もっと強く願っていいのだ」の断言にある。凝った表現ではなく、誰でも言えそうなのに、考えてみれば、こんなにはっきり「もっと強く願っていい」と言われたことはないように思う。心のなかで欲していた言葉にめぐり合った瞬間のような感じがする。それから後半の「女がほしければ奪うのもいいのだ／男がほしければ奪うのもいいのだ」の連もどきっとする。人間の根源的なところに迫っている。

この二篇を読むと、ぼくなんかはぐさっとくる。どの一行もぼくに反省を求めてくる。真剣に生きているかと問われているような、背筋を伸ばして生きろと叱られているような感じがする。茨木さんは、あまり知られていない詩にもいい作品がたくさんあるけど、この二篇が茨木さんの特徴を明確に表している。

現代詩らしくない詩

というのも、これらの詩は「現代詩らしくない詩」なんです。変な言い方だけど、いま「現代詩」と考えられている詩ではない。逆に言うと、もし茨木さんの詩が「現代詩」なら、いま多くの人が書いている、あるいは書こうとしている詩は「現代詩」ではない。そう感じられる理由をいくつか挙げてみます。

①誰でもが隅から隅までわかってしまうようなことを書いている
②言葉を飾り立てようとしていない
③情緒的でない
④説明的
⑤自信あり気で迷いがない

ざっと考えただけでもこれだけある。いま挙げた五つのことって、ぼくが詩の教室をやっていて、詩作では避けたほうがいいと話すことばかり。やってはいけないことと考えてきた。そういう意味で、茨木さんの詩は、いわゆる現代詩と呼ばれるものから遠いところにある。誰のどんな詩の書き方にも寄りかかっていない。むしろ現代詩を両手で向こうへ追いやっているような詩。私の詩は私の詩、そんな茨木さんの声が聞こえてくる。自分が信じるものを書くことが詩なんだ。先入観に惑わされることはない。そう言われているような気がする。

かと言って、単純に自分はこれから、

①もっと誰でもわかる詩を書こう
②言葉を美しく飾るのはやめよう
③情緒的にはなるまい
④事細かく説明をしよう
⑤自信たっぷりに書こう

と決意しても、きっと気の抜けた詩にしかならないし、茨木さんの詩のように読者に深く入っていけるものは書けない。なぜなら、人のやり方を真似たものは、それだけのものでしかないから。いい悪いではなくて、単にこうしたいという、その欲求にしたがって創作をする。自分から湧き出てきたもので書く。自分にとっての詩、自分にとっての現代詩をそれぞれが作る、それが大事なことだと思う。

茨木さんの詩は、虚飾のない柱だけのような、風通しのよい建物を想像させる。その建物がどれほど強靭かをぼくたちは知っているけれども、だからといって茨木さんのような詩を書こうと言うつもりはない。ただ、茨木さんの詩は、君らしい詩、ぼくらしい詩を書きましょうと伝えてくれている。

そんな茨木さんの詩が多くの人に読まれているという事実を、ぼくら詩を書く人間はもっと考えてもいいのかもしれない。というより考えるべきだと思う。なぜ詩が読者になかなか届かないのか、もう一度考えるように言われている気がする。その意味で、茨木さんは詩作品だけじゃなくて、現代詩が抱えている問題を解決するヒントを与えてくれている。

詩ができるタイミング

次に「詩ができるタイミング」について。

茨木さんの詩って、書くべきおおもとがある詩なんですね。書くべき内容があって、そこに言葉を置いていく。そんなの当たり前じゃないかと言う人がいるかもしれないけど、むしろ詩というのは、書くことが何もないところから書くものなわけ。まず書いて、内容があとからついてくる。それが詩の順番。でも、茨木さんの場合はそうではなくて、まず、こんなことを書こう、こんなことを書けば詩になるという発想があって言葉があとからやってくる。

これは茨木さんのエッセイで読んだことだけど、あるとき詩を書き上げたものの、どうもしっくりいかない、言葉が書きたいことに届いていないということがあったらしい。そういうときに茨木さんはその詩を書くのをいったんやめる。待つ。慌てて書き上げてしまおうとしない。

あるいは、書き上げても何年かあとにもう一度書こうとしてみる。そうしたらスッキリ書けた。

そのエッセイを読んだときに、ぼくは詩っていうのはそれぞれに生まれるべき「時」があるんだなと思ったわけ。どんなに詩人が一生懸命になっても詩が熟さないうちは書こうとしてもだめ。年月が大切なんだということ。自分にとっての大切なテーマというのは、決してあきらめずに時間を置いて何度も試していれば、きっといつか満足のいくところに届かせることができる。詩作に大切なひとつの要素は慌てないこと、あせらないこと、未熟な詩を作らないこと、ひとつのテーマとじっくり向き合うこと。そんなことを茨木さんは言っていると思います。

ぼくにも似たような体験があって、かつて近くにいた人が亡くなったことを詩にしようとしたことがあった。でもいくら頑張ってもできなかった。それで、もういいや、別に詩にする必要はないじゃないかと思って、あきらめて生活をしていたら、十年以上経ったある朝、にわかに詩が湧き上がってきた。それで「火山」という長い詩を書いたんだけど、そのときに、ああそうか、詩には固有の生まれる時間があるんだなって思った。

言葉からの詩、言葉でないものからの詩

最後に「言葉からの詩、言葉でないものからの詩」について。

茨木さんには、言葉の前に書くべきテーマや発想があったという話をしたけど、じつは、そうでない詩もある。その数少ない詩のひとつが「吹抜保」っていう作品。ぼくの大好きな詩で

もあります。

☆

吹抜保

心は　ぽかん
秋のそら
ぶらりぶらりの散歩みち
一軒の表札が目にとまった

吹抜保

ふきぬけたもつ　か
ふきぬきたもつ　か
吹抜家に男の子がうまれたとき
この家の両親は思ったんだ
吹抜という苗字はなんぼなんでも　あんまりな

親代々の苗字ゆえしかたもないが
天まで即座に　ふっとびそうではないか
この子の名には　きっかりと
おもしをつけてやらずばなるまい

吹抜保《ふきぬけたもつ》　いい名前だ　緊張がある
庭には花も咲いていて
一家のあるじとなった保氏は
なんとか保っているようだ
年はわからないが
たもっちゃん
ながく　ながく　保っておれ

（『人名詩集』山梨シルクセンター出版部、一九七一年）

この詩は、言ってしまえば、それほど重要なことを書いているわけではない。歩いていて人の家の表札を見てちょっと感じたことを詩にしている。それだけの詩。その力の抜けたところが、読んでいるとこちらもリラックスさせてくれて、魅力的な作品になっている。考えてみれば、人様の苗字をあげつらうなんてちょっと失礼かとも思うんだけど、でもかなりの愛情を込めて書かれているからいいのかなとも思う。詩って、こんなふうにちょっと感じたことや他愛ないことを書いてもいいいし、むしろそうした心持ちで書いた詩のほうが素敵な作品になることもある。

二つの入り口

詩は、言葉から始まるのか、言葉以外のものから始まるのか。詩は、辞書を読んでいてもできるし、辞書を閉じた外の世界からもできる。せっかく二通りのあり方があるなら、どちらかに決める必要はない。どちらの入り口からでも詩を書いてゆこう、そのほうが楽しいよ、ということ。

自由詩の自由を楽しもう。なかなか思うように考えていることが詩にならないときは、ちょっと外を歩いて看板や空を見てみよう。そうすると別の入り口から気楽に詩に入れることがある。言葉から詩を作り上げるのと、言葉以外の感覚から詩を作り上げるのと、二通りの書き方を身につけて自分の詩の世界を豊かにしていきたい。茨木さんの詩を読んでいるといろんなことを考えますが、今日はそのうちの二つを話しました。

2019.8.15　池袋

言葉は息をしている　川崎洋の詩

前回は茨木のり子さんの話をしましたが、今日は川崎洋さんです。

茨木さんと川崎さんは一九五三年に「櫂」という詩の同人誌を創刊しています。その後「櫂」には谷川俊太郎さんや大岡信さんらが参加しました。ため息が出そうな、すごい雑誌です。

「櫂」のメンバーは、詩だけでなく批評、ラジオドラマや連詩、絵本と、たくさんのジャンルで活躍しました。詩を書くことしかできず、おどおど生きているぼくのような詩人とは違って、茨木さんも川崎さんも特別な存在でした。特別というのは、詩以外の活動も立派に成し遂げたというだけではなくて、詩自体が特別なんです。それだけの才能を持っていた。川崎さんの詩を一篇読んでみます。「はくちょう」という有名な詩です。

「はくちょう」から感じること

☆

はくちょう

はねが　ぬれるよ　はくちょう
みつめれば
くだかれそうになりながら
かすかに　はねのおとが

ゆめにぬれるよ　はくちょう
たれのゆめに　みられている？

そして　みちてきては　したたりおち
そのかげ　が　はねにさしこむように
さまざま　はなしかけてくる　ほし

かげは　あおいそらに　うつると
しろい　いろになる？

うまれたときから　ひみつをしっている
はくちょう　は　やがて
ひかり　の　もようのなかに
におう　あさひの　そむ　なかに
そらへ

すでに　かたち　が　あたえられ
それは
はじらい　のために　しろい　はくちょう
もうすこしで
しきさい　に　なってしまいそうで

はくちょうよ

（『はくちょう』書肆ユリイカ、一九五五年）

どうでしょう。弱々しさ、たおやかさ、透明感、しっとり感、そんなものがいっぱいつまった、きらきらした詩になっています。この詩から感じることを四つ挙げてみます。

ひとつ目は、一字アキを多用していることです。ぜんぶひらがなで書いているから、文字と文字のあいだに空間を作ったほうが読みやすいということもあると思いますが、それだけではなく、読み飛ばされないように、言葉ひとつひとつにその都度立ち止まってほしい、そんな意味も含まれていると思います。当然、それが独特なリズムや調べを作り上げています。この雑然とした世界とは違うところへ連れていってくれる。

二つ目は、動詞の輝きです。詩の美しさは、名詞よりも動詞で決まってくることがある。ちなみにどんな動詞が使われているか並べてみます。

ぬれる
みつめる
くだかれる
みられる
みちる
したたりおちる

さしこむ
はなしかける
うつる
なる
しっている
におう
そむ
あたえられる

こうして動詞を並べただけで、「ぬれる」という題のつきそうな、きれいな一篇の詩ができ上がる。この動詞の編み目の向こうにはくちょうが見える。そういう仕組みになっています。こうして並べてみて気がつくのは、受け身の動詞がいくつかあることです。自分から身を動かすのではなくて与えられた動きを受け止めることのひそやかさを感じます。このひそやかさが詩に上品さをもたらしています。

三つ目は、呼びかけの優しさ、親しさです。書き出しの「はねが　ぬれるよ」の「よ」には詩の呼吸の湿り気さえ感じます。そうか、この詩は、私に語りかけるように書かれているんだなと読み始めてすぐにわかる仕組みになっています。読み手を受け入れてくれる詩なんだよという小さな宣言であるわけです。

詩のなかには、いくつか「?」が出てきますが、この問いかけにも同じように呼びかけの意味が含まれています。ふつう人から受ける質問って、職場とかでも「ああすぐに答えなきゃ」という圧迫感で苦しくなりますが、この詩に出てくるのは、答えを強制されていない、優しい質問です。あなたがこの詩を読んでくれているということを、詩が確認するための肩に置かれた手でもあるからです。

ぼくは初めてこれを読んだときにぶったまげました。言葉ってこんなことまでやってのけることができるんだとびっくりもし、感動もした。傑作中の傑作です。

四つ目は、書かれているのは「はくちょう」そのものの美しさではないということです。この詩はとんでもなく美しくできているのですが、本物のはくちょうをいったん破片に砕いて、その破片を組み立て直したあとのはくちょう。ガラス細工の白鳥に近いかもしれない。ガラス細工だから粉々に割れることがある。割れた破片が光を反射している。その破片というのが「言葉」のひとつひとつにあたる。つまり言葉ひとつひとつを磨いて、磨いたあとに組み立ててはくちょうにしている。そんな感じがします。

すごく面白いと思うのは、茨木のり子さんの詩は、言葉よりも前に書くべき内容がしっかりある詩だった。でも川崎さんの場合は、言葉の前には何もない。書きたいのは内容ではなくて言葉そのもの。川崎さんがこの詩で描きたかったのははくちょうではなくて、はくちょうの姿を借りて「言葉」を書きたかったんだということです。言葉で遊んでいる。透明で小さな言葉の積み木で詩を作っている。積み木である以上それぞれの破片が意味を持っていては困るわけです。だから全部ひらがなでできている。つまり、この詩に胸を打たれるのは、書かれているはくちょうというよりも言葉それ自体に対してなのです。

言葉のさみしさ

川崎さんは、何よりも言葉、世界そのものを描くよりも言葉に向かい合っていた。その向かい方はこの「はくちょう」のように、世界をきれいに染め上げるような向かい方だけではない。もっと多様性に富んでいました。たとえば「悪態採録控」という悪口を集めた詩があります。これは美しい言葉を集めるのではなくて、口汚い言葉ばかりを集めて詩にしている。この詩はここでは全部は読みませんので、自分で詩集を買って読んでみてください。ちょっとだけ読みます。

たわけめ
くそったればばあめ
女のがき
おたふく

馬鹿野郎

これって「はくちょう」を書いた詩人の作品とはとても思えない。まったく違うように見える。でも言葉に向かい合って、言葉を集めて、詩にしているということでは「はくちょう」と同じなんです。もうひとつ別の詩を読んで見ます。

☆

祝詞

おめでと
おめでとがんす
おめでとがす
おめでとござりすた
おめでとうがんした
おめでとうごぜんす
おめでてえねえ
おめでとうごいす

おめでとござんす
おめでとござんした
めでたかったね
おめでとございます
おめでとうさん
おめでとうはんです
おめでとうごだえんす
おめでたかことで
おめでとござんする
めでとうがあったじゃねか

（『祝婚歌』山梨シルクセンター出版部、一九七一年）

これはなんだろう。「おめでとう」をさまざまな言い方で並べている。言い換えている。方言もあるし、古い言い方もある。馴れ馴れしい言い方やまわりくどい言い方もあります。川崎さんがこういう詩を書くのはすごくわかります。言葉と向かい合うからこそ美しい言葉とも向き合うし、悪口とも向き合うし、方言や言い換えとも向き合う。

この詩を読むと、どこか言葉が感じているさみしさがひしひしと伝わってくる。それ自身では何ものでもない「ひらがな」というもののよりどころのなさ、もたれかかることのできない心細さ。組み合わさることでしか意味を持つことのできない言葉ってどこまで悲しいものなんだろうと感じてしまう。そういう意味で、川崎さんも言葉とじかに向き合って、言葉の気持ちを誰よりわかっていたんだと思います。

むき出しの言葉

そんなことを考えていて思い出した詩です。「鉛の塀」という、これも有名な詩です。

☆

鉛の塀

言葉は
言葉に生まれてこなければよかった
と
言葉で思っている
そそり立つ鉛の塀に生まれたかった
と思っている
そして

そのあとで
言葉でない溜息を一つする

（『川崎洋詩集』国文社、一九六八年）

書いてあることはとてもわかりやすい。擬人法の詩です。言葉を擬人化している。擬人法って、詩を書く人なら誰でも使ったことのある手法ですが、だからこそありふれた擬人法は失敗するからやめたほうがいいと思います。擬人化しただけで、この世界と違うところへ行けるから勘違いをしてしまう。擬人化するなら、ありふれていない突出した擬人を目指さないと。そうでないならやめたほうがいい。

この詩の擬人化は、言うまでもなく見事な擬人化。恐ろしいほど胸にぐっとくる。人に擬された「言葉」の呼吸まで聴こえてきそうに書いてある。決して明るい詩ではなくて自己否定の詩、ちょっと太宰治的でもあります。

面白いのは四行目の言葉が「言葉で思っている」というところ。それからこの詩には比喩が含まれています。五行目の「そそり立つ鉛の塀に生まれたかった」というのは書かれているそのままに鉛の塀に生まれたかったということであるとともに、鉛の塀のように静かに黙っていたいという意味でもあります。

つまりここには「鉛の塀のように」というわかりやすい直喩がしまいこまれている。そして最後の行で驚きます。何に驚いたかを言葉で説明することは難しい。だからこの詩を読んだ人も最後に「言葉でない溜息を一つする」ことになるわけです。

この詩に出てくるのは「むき出しの言葉」です。それ自身では何の意味も持たない、たよりなげな言葉。言葉がなければこの世界が構築できないことはわかっている。言葉がなければ気持ちを解釈したり、表明することもできないこともわかっている。でも、ぼくらは言葉自身のことを考えてあげたことなんてない。

勝手に使って使いっきりのこの言葉というものを、何かをあらわすための言葉としてではなくて、言葉それ自体を正面から受け止めて向き合ってあげられるのは「詩」だけなのかもしれない。川崎さんはそう思いながら詩を書いていたのではないかなと感じます。

ぼくはこの「鉛の塀」という詩を昔から好きで、ことあるごとに思い出します。ちなみに最近、ぼくは言葉や詩についての詩を「初心者のための詩の書き方」という連作詩としてずっと書いているのですが、思い返してみれば、それを書き始めるにあたってたぶん川崎洋さんのこの「鉛の塀」があったんだと思います。ぼくの長い連作詩の元には、川崎さんのこの詩が源としてあった。そんな気がします。

言葉の命と機能をつきつめる

繰り返しますが、川崎さんの詩には、もちろんいろんな詩があるけど、一言でまとめるなら「言葉の命と機能をつきつめる」ことに徹底して向き合った詩だと思う。方言の詩であったり、言葉遊びの詩であったり、言葉と言葉の距離を遠ざけてみたり、さまざまなことをして遊んでいた。さっき言ったように、茨木さんの詩は言葉よりも先に書かれる内容がある。それに対して川崎さんの詩は、書かれる内容より先に言葉がむき出しで顔を出している。どちらがいい悪いの問題ではない。両方ありうる。

詩を書くなら言葉を知りつくしたい。言葉が何をあらわそうとしているのか、辞書に書いてある意味以上にどんな可能性を持っているのか、言葉にできることはまだまだあるはずだと信じること。詩を書いているのだから自分一人だけの言語で詩を書きたい、自分だけの美しい言語のようなものを作り上げたい。たかが言葉だけど、一生格闘しても悔いはないと川崎さんは思ったんじゃないかな。

ぼくらが生きているように、ぼくらが使う言葉も生きている。言葉も息をしている。言葉は個別にそれぞれの大切な命をけなげに抱えて生きている。それを思い出しながら、一篇の詩を書き上げたいですよね。

2019.9.19　池袋

心に分け入る道筋　谷川俊太郎の詩

今日は「心に分け入る道筋」についての話です。ひとつの詩を読んでいると、いろんなことを考えますよね。一篇の詩を読むことは、貴重な贈り物を受け取ることです。それを忘れてはいけない。詩のなかにはいろんなことが詰まっているから、おろそかには読めない。

「現代詩手帖」一月号は読んでおこう

「言葉を覚えたせいで」という詩は、「現代詩手帖」二〇二〇年一月号の作品特集に載っていた詩です。作品特集というのは有名な詩人たちの最新作がたくさん読めるので、楽しくもあり勉強にもなる。これを一冊読んで自分の詩の位置を確かめるのにも使える。今年の作品特集にも気になった詩はいくつかあって、全体としては、最近の傾向とそれほど変わらないのかなという感じです。

ぼくが気持ちをしっかり入れこむことのできる詩もいくつかあって、一方、素直には受け入れられない詩も少なからずあります。ただ、そういう苦手な詩人の詩って、その人の詩集でたくさんの詩を読むのはきついものがあります。だからこういう作品特集でたまに触れてみると「ああこの詩人はずっと苦手に思っていたけど、読むと結構悪くない」ということがあるので、その意味で、好きな詩人の詩を読むだけではなく、日ごろは敬遠している詩人の詩にも出会う場として貴重な体験になります。

少なくとも真剣に詩を書いているなら一月号は買って読んでおいたほうがいい。さっき言ったように、自分が書いている詩との距離や位置関係が見えます。その距離や位置関係を肯定するにしても否定するにしても、あるいはほったらかしにするにしても、どう解釈しどう受け止めるかが、その年一年の書く姿勢につながってゆくと思うのです。

今日はそのなかで、最初に載っている谷川さんの詩を読んでみたいと思います。

☆

言葉を覚えたせいで

言葉を覚えたせいで、言葉では捕まえるの
が不可能なものをどうしたら良いのかわから

ない。僕ら人間は言葉で出来ているのだから、言葉以上の、あるいは言葉以下の世界を言葉で知ろうとするのは無理だろう、と誰もが言うけれども、好きな音楽を聴いていると、音楽には言葉の能力を超えた何かがあると思う。

言葉のおかげで人間は意味というものに取り憑かれるようになった。確かに人間は動物と違って、意味なしでは社会生活を送れない。だが、意味のおおもとにあるもの、言葉で名付ける以前にそこに存在するものに迫るのが、散文とは次元の違う詩の狙いだと考えたい誘惑から逃れるのは難しい。それだけが詩の目的だとは考えていないが、詩を書こうと身構えると、どうしてもその方向に意識が働く。

僕らが日々話したり書いたりしている言葉が、組み合わせによって突然「詩」に転じるその仕組みは一体どういうものなのか。散文でそれを解き明かす試みは数多いが、その仕組み自体が「詩」そのものだと考えると、その秘密とでも呼ぶべきものは、僕らの意識下の混沌にあるとでも考えるしかない。

広々とした青空のどこかから
白い雲のひと刷毛が現れて
風に流れるいとまもなく
すぐ消え失せるのを赤ん坊が見ている

老人の私もそれを見ているが
赤ん坊と違って私はそれを言葉で見る
その情景は私の内部から外部へ跳ぶ
私の中ですでに時は止まっている

書かれた情景は一枚の水彩画のように
意識の額縁に収まっている

赤ん坊を抱いて私は散歩から帰る

日常が当然のように戻ってきて
やがて西陽が家並みの向こうに沈む
詩が言葉と別れて闇に消える

解説する必要がない詩

この詩について、ぼくが感じたこと考えたことを話したいと思います。

書かれている内容については解説するまでもないと思います。それでも簡単に説明すると、前半の散文形式のところで言っているのは人が言葉を覚えることによってどうなるかということです。

言葉を知らない赤ん坊が世界を受け止めるやり方と、言葉を知ってしまった人が世界を受け止めるやり方は違うと谷川さんは言っています。赤ん坊にとっては目に映るもの耳に聴こえるものがすべて等しく映る。ただ受け止めるだけだから。でも言葉を覚えてしまうと、目に映るものをただ受け止めるということができなくなる。それを言葉に変換しようとする、耳に聴こえるものを言葉に変換しようとする。そのとき、適切な言葉に結びつくものは表現できるけど、適切な言葉が見つからないものは表現できない。受け止めた世界を言葉で説明できないということは世界を受け止めていないことと同じになってしまう。

詩は、この適切な言葉で表現できないものをなんとか表現しようとする行為です。それがすべてではないけど、そういう面があると谷川さんは書いている。でもそれがどのようになされるのかが詩人の意識の上ではわからないので、それを意識下とか混沌と言っています。

散文形式のあとの行分け詩になっているところは、基本的には散文部分で言っていることと同じ内容を、人を青空の下に立たせて詩にしている。行分けの部分で注目したいのは最後の行の「詩が言葉と別れて闇に消える」のところです。言葉と別れた詩というのは、言葉で説明できないことを表現できたと言っているのかもしれない。あるいは単に詩が闇に消えて、言葉という悩みから解放された詩の姿を描いているのかもしれない。ここはさまざまに解釈のできる意味の深い行になっています。

おせっかいな解説をしてしまいましたが、さっきも言ったようにこの詩はそんな解説をする必要のない詩になっています。この「とくに解説する必要がない」というのがこの詩のひとつ目の特徴です。

詩には、誰かに教えてもらわないと書いてあることがまったくわからない詩もある。場合によっては、書かれている内容がわからなくてもいい詩もあります。書いてあることがわからなくても、それは個々の書き手の勝手だからそれでいい。あるいはその作品を書くことができるのはその詩人だけという場合もあって、詩自体はあまり魅力を感じないけど、自分にはとうてい書けないし、こういう詩を書ける人がいるということで価値が出てきて、そこから生まれた詩にも意味が生まれることもある。さらに、古典の知識や外国での経験といった、他の人が知らないことを教えてくれることによって意味が出てくる詩もある。

でも谷川さんのこの詩は、そのまま、自分の目で読んだだけで直接意味がわかる詩になっている。谷川さんは、意味の通る詩を書く詩人だということがわかるし、その谷川さんの書く詩に多くの読者がいて、感銘を受ける人がいるということは、詩を書く者はしっかり受け止めるべき事実だと思う。ぼくも意味の通る、とくに解説の必要のない詩を書いています。それは谷川さんを真似ているというよりも、それがぼくの個性だからです。

長いあいだ詩を書いていると、そんな個性に飽きてしまったことが何度かあって、意味のわからない詩に魅力を感じて、そういう詩を書いてみようと試みたことがあります。でも結局そういうのは身につかなくて、元の解説のいらない詩に戻ってきました。これはぼくの場合であって、他の人にもあてはまるかどうかはわかりません。

言うまでもなくこの教室に来ている人はどんな詩を書いてもいい。ぼくのような解説の必要のない詩を書かなければならないとは思わない。自分にとって詩の何に最も惹きつけられているのかというところをしっかり見つめることが大切です。詩を書いていく上で、何を選び取って詩を書いてゆくかは人によって違っていい。

特別なことを書いていない

ぼくがこの詩を読んで感じた二つ目のことは、誤解を恐れずに言うと、「この詩は驚くようなことを書いていない」ということです。特別なことを書いていない。ぼくはそれを否定的な意味で言っているのではなくて、好意的に驚きを感じたからです。

つまりあの谷川さんだから、人が驚くような詩を書こうと思えば書けるはず。ふつうの人が書くのとは違う特別な詩を書こうと思えば書ける詩人です。でもそうしていない。なんと言うか、妙に突出したことを書こうとしていない。ぼくやあなたが書きそうな内容、形式の詩です。ふつうの詩なんです。

谷川俊太郎という、この数十年、日本で詩の先頭を走ってきた人がその位置からさらに走り始めて書いた詩ではない。ずっと後戻りして、ぼくらと同じスタートラインに並んでいる。戻った地点から一篇の詩を生み出そうとしている。そこがすごい。ぼくでさえ、それまでに自分が作り上げた個性や言葉の扱い方に頼って次の詩を書こうとすることがあります。そのほうが楽だし、安全だから。

でも谷川さんのこの詩を読んでいると、そうではなく、何ものでもない人になって、自分がそのとき感じたことをまっすぐ詩にしている。これはまさに学ぶべき姿勢だということがわかる。いつも現役で、若い人と同じ条件で、初心者と同じ場所から書いていたいと思わせてくれる詩です。

返事をしたくなる

この詩を読んで感じた三つ目のことは、この詩は説得しようとしていない、むしろ問いかけているということです。具体的にぼくらに質問を投げかけているわけではないけど、読んでいると、ひとつひとつこちらの意見を言いたくなります。初めの「言葉を覚えたせいで、言葉では捕まえるのが不可能なものをどうしたら良いのかわからない」のところも、ではどうしたらいいのだろうと考えてしまう。

その次の「僕ら人間は言葉で出来ているのだから、言葉以上の、あるいは言葉以下の世界を言葉で知ろうとするのは無理だろう」にしても、本当に無理なんだろうかと、この詩を読んでいるとそこで立ち止まってしまいます。言葉ってなんだろう、言葉以前ってなんだろう、意味ってなんだろう、詩と散文の違いってなんだろう、詩が生まれるってどういうことだろう……。そういう素の疑問がナマの姿でぼくらに問いかけてきます。

この詩は表面的にはぼくらに何も質問しているわけではないのに、この詩に向き合うとつい大きく手を挙げて自分の考えを、自分にとっての詩とは何か、言葉とは何かを答えたくなります。詩は、世界に対する問いでありたい。そう思わせてくれます。

パターンがあってもいい

この詩を読んで感じたことの四つ目は、自由詩にも、人の心に通じるパターンのようなものがあってもいいということです。自由詩の自由は、詩の形式の自由にも通じていて、どう書くかは書き手がその都度考えればいい。でも、これまで日本あるいは世界では、たくさんの詩が書かれ、読まれているわけで、自由詩でもこういう構成、道筋でこういう内容を書くと人の心に入りやすいといった、パターンのようなものがあるのではないかと思う。

話はちょっと飛びますが、この正月に映画やドラマを観ていて同じようなことを感じました。「家へ帰ろう」という映画を観たのですが、この映画は、スペインとアルゼンチンの合作映画です。ポーランドに住むユダヤ人の主人公が第二次世界大戦のときにナチスの迫害を受け、そこからなんとか逃れて、人に助けられ、終戦後アルゼンチンに移住して人生を送ります。その人が八十八歳になって生涯の最後に近くなった頃に、アルゼンチンから故郷のポーランドまで一人で旅をするというものです。旅の目的は、故郷に帰って迫害を逃れたときに救ってくれた一人の恩人に会うことです。

この映画を作った目的は明らかにナチスの残虐さとか戦争の悲惨さを訴えるためではあるわけで、表現物としては命に関わるとても重要な主題を扱っています。なかなかよい映画で、感銘を受けたのですが、その大切なテーマを人に伝えるために映画によくありそうな展開が盛りこまれている。つまり、旅の途中にちょっとした出来事がたくさんあって、気の強い個性的なホテルのおばさんが出てきたり、持っていたお金を全部盗られるといった困難が待ち受けていたり、入国審査でトラブルにあったり、観ている人をやきもきさせたり少し不安にさせたりするわけです。

それから何十年ぶりかで命の恩人に会うところも、本当はもうその場所にはいないのではないかというような雰囲気を出しておいて、観ているほうをちょっとがっかりさせてから二人の再会をドラマチックに演出するという場面もお決まりのようにしてあります。そういうのを観ていると、ああいつもの映画のパターン、鉄則なんだなと思うわけです。つまり長年映画を観ているこちらとしてはみえみえのパターンなんです。でも、それがわかっていてもそういうパターンを心地よいと感じる自分がいることに気づいてしまう。作り手もそれがわかっている。

全部わかっていても、観ているとつい登場人物に頑張れと思って夢中になって応援してしまう。まんまと映画作りのプロの力に屈してしまうわけです。これまで多くの映画を作り、脚本を書いてきた映画人たちが、暗黙のうちに学んで確立してきた「人を惹きつけるための映画作り」という道筋が間違いなくあるんだと思います。

戦争反対という、本当に言いたいことを伝えるためには、熱情だけではなくて伝えるための道筋を身につけている必要がある。戦争を反対するのにただ大声で戦争に反対だと言ったところで、ありふれた言葉はもうインパクトを持たない。だから考えを伝えるためにそれまでにそのジャンルが培ってきた道筋やパターンを利用してもいい。そう思いながら観ていました。

で、そのときに考えたのは、詩にもそういうのがあるのかなということです。これまで多くの詩を読み書きしてきた詩人たちが学んできて、歴史とともに暗黙のうちに確立してきた「人を惹きつけるためのパターンや詩作法」というのはあるだろうか。

悲しいかな、詩の世界では、ドラマや映画ほどには人を感動させる手際のよさというのはまだ積み重ねられてきていない気がする。それって詩がダメだということではない。むしろそこにこそ、詩としての積み重ねやパターン化できないことへの厳かさがあるのではないかと思う。一方で、自由詩だから勝手気ままにやっていい、ということになっているから、詩人はいつまでもプロとしての手際が身につかないのではないか。

ふつうの人の目線で書く

でもこの谷川さんの詩を読んでいると、谷川さんだけはそういう人の心に分け入ることのできるパターンや道筋をしっかりと身につけている人なのではないかと感じたんです。谷川さんのこの詩には、前半に言葉に対する考えが示されていて、後半はそれを受けて、急に行分け詩になって考えの空が開けたような姿を見せています。この進め方というか形って、間違いなくひとつの人を惹きつけるパターン（道筋）になっている。構成だけでなく、内容の難易度にしても言葉の選び方にしても、詩に何ができるかをよく知っている。人の心に通じる詩とは何かということを、詩の長い歴史があるのだから、詩人としてもっと身につけていたい。それは決して清新な詩を書き上げる態度と矛盾することにはならないと思うのです。

この詩を読んで感じたことはまだまだあるのですが、今日は四つ話しました。まとめると、

①意味のわかる詩であることの驚き
②特別ではない詩であることのすごさ
③詩は優しい問いかけであること
④詩には人を魅了するパターンがあってもいいのではないか

繰り返しますが、谷川さんのこの詩がすごいのは、ふつうの人の目線におりて書いていることです。どうしてこんな新鮮な態度がとれるんだろう。詩を書くという態度を、どうやって保つことができるのか。そういうことを心がけて詩を書いていきたいと思います。

2020.1.12　横浜

ぼくはわかっていないんじゃないか　清水哲男の詩

感性の間口が広がる

清水哲男さんの詩の話をしようと決めて、一か月前から準備を始めました。現代詩文庫を二冊読んで、気になる作品のページの耳を折って十篇を選びました。ぼくは自分の本は好きなページを折ってしまいます。そのほうがあとで時間がないときに、好きな詩だけを読み直すことができるから。もちろん人の本や図書館から借りた本にそんなことはしません。

今回も耳を折ったページはたくさんあって、それぞれの詩にぼくなりのコメントを書いて読んでいこうと思っていたんです。十の詩に十のコメントがあれば、それで何か言えるのではないかと思って。で、それらしいことを書きました。でもにわかに、それを読み上げたからと言って何になるんだろうという考えにとらわれたんです。意味がないことはないけど、ただ感想を話すよりも、もっと大切なことがあるんじゃないか、と。

つまり、「ぼくは清水さんの詩がわかっているのだろうか。もしかしたらわかっていないのではないか」。根本的な話ですね。清水さんの詩をわかっているかどうかわからない人間が清水さんの詩の話をしようとしている。おいおいっていう感じですよね。

でもよく考えてみると、そういうことって詩の世界だけでなく、わりとあると思うんです。わかっている人の話って、それがわからない人にとってはわかりにくいことがある。だって、わかる人には、わからない人の何がわからないかがわからないから。わからない人のどこがわからないかを聞くほうが、わからない人がわかる話になるのかもしれない。つまり、詩がわかるかわからないかの問題ですね。

いつの時代でも考えられ、語られてきた問題です。いまさら何を言っているのか、「詩は感じるものだ、わからなくても感じればいいんだ」という考え方もあります。音楽も絵画も、言葉でそのよさを説明するのは難しいけれども、そのよさは感じるわけです。詩は、言葉でできているにもかかわらず、言葉でそれを説明するのは難しい。どこか音楽や絵画に近いのかもしれません。

「詩は感じるものだ、わからなくても感じればいいんだ」という考え方って、たぶん正しいんだと思うのです。「感じる」って広い意味を持っているから、たいていのことにあてはまる。ただ、とても曖昧ですよね。たとえば好きな歌があるとして、同時代を生きる友人はその歌が好きではないということもよくある。好みの問題ですね。だからと言ってそこで、この歌を好きになるべきか否か議論して決める必要はない。ある人は「感じる」けれども、ある人は「感じない」、それだけのことだからです。

でも、詩の場合はちょっと違う。みんながいいと言っている「感じている」詩を、自分だけ感じないときには焦るわけです。そのままでいいとは思えない。「自分だけわかっていないのではないか」と考えてしまう。「わかるわからない」ではなく「感じる感じない」で判断すればいい、その上で感じないものは仕方がない、それで済む人もいます。

でも、そうでない人もいる。自分の感じ方を鍛えたいと思っている人です。そういう人は、感受性の間口を広げたいと思っている。いまは、この詩に何も感じないけど、みんながいいと言うのであれば、きっとすばらしいものがひそんでいるに違いない、その感じ方を知りたいというわけですね。

感性って、持って生まれたものが大きな部分を占めていると思うのですが、真摯に詩を読んでいると徐々に間口が広がってきます。それって個人の場合だけではなくて、詩というジャンルにも同じことが言えます。詩を読み始めたばかりの人は近代詩のほうが入りやすかったりする。中原中也とか立原道造とか。ぼくは津村信夫が好きでした。昔の詩には、もともとぼくたちが共通に持っている感性に添って書かれた詩が多い。内容もリズムもです。

でも時代とともに、いろんな才能の詩人が現れて、さまざまな詩が出てきます。なかにはなるほど、こんな詩はいままでなかった、朔太郎や犀星とは違うけれども面白いと感じる人が現れて、そういう人が増えていく。つまり、詩というジャンルの感性の間口が時代とともに広がっていく。

詩を読む個人も同じです。もちろんいろんな入り方をする人がいるけれども、まずはもともと持っている言葉の美しさに惹かれて、そのうち、ジャンルが育ってきたのと同じ過程を経て、個人として感じる詩の間口が広がっていく。それってどこか進化論を思い出させる。お腹のなかで胎児が生物の進化の過程をたどる。詩を読む人も、詩というジャンルの胎内で、ジャンルの変化を体現して個人の詩の読み方ができ上がってくるのかなと思う。

清水さんの自然体

話がそれましたが、清水さんに話を戻すと、さっきぼくは清水さんの詩がわかっていないのではないかと話しました。では感じないかというとそうではなくて、びんびん感じるわけです。今日はそのあたりの、ぼくが清水さんの詩の何がわからなくて、それにもかかわらず、なぜぐっとくるのかを考えてみたいと思います。それによって清水さんの詩に感じる人が一人でも増えてくれればと願っています。

まずは「美しい五月」。有名な詩です。清水さんにしては短い詩。短い詩って、たいてい若い頃に書きますね。もちろん歳をとってから短い詩を書く清岡卓行みたいな詩人もいますけど、たいていは歳をとると詩が長くなってきます。ぼくもそうだけど、歳をとるとおしゃべりになる。ぼくは若い頃は無口でした。でもあることがきっかけで、急におしゃべりになってしまった。歳とともに話したいことがいくらでも出てきます。生きているうちに言っておかなければという焦りからくるのかな。とにかく、これは清水さんの若い頃の詩です。

☆

美しい五月

唄が火に包まれる
楽器の浅い水が揺れる
頬と帽子をかすめて飛ぶ
ナイフのような希望を捨てて
私は何処へ歩こうか
記憶の石英を剝すために
握った果実は投げなければ
たった一人を呼び返すために
声の刺青は消さなければ
私はあきらめる
光の中の出合いを

私はあきらめる
かがみこむほどの愛を
私はあきらめる
そして五月を。

（『水の上衣』赤ポスト、一九七〇年、以下、引用は、現代詩文庫『清水哲男詩集』より）

先ほども言いましたが、この詩はとても有名な詩です。そして、ぼくのかなり好きな詩です。ふと、頭に浮かんでくる。よく歌や曲が頭に浮かぶことがあると思いますが、折りにふれ頭に浮かんでくる詩のフレーズって少ないですね。

この詩は、その意味でぼくにとって特別な一篇です。夏の日の横断歩道を渡っているときとかに、突然、「私はあきらめる／かがみこむほどの愛を」っていうフレーズが頭をよぎる。ああいいな、詩ってすごいなって思う。生きているんだなって思います。

これは清水さんらしさのよく出ている詩です。というか、清水さんの詩はどれも清水さんらしい詩です。詩人によっては、名前を隠されると誰の詩かわからない人や生涯にいろんな詩を書く人がいます。どちらがいいとか悪いということではなく、そうなんですよね。でもとにかく清水さんはいつも清水さんらしい詩を書きます。これが清水さんの詩の特徴のひとつです。

なぜいつも清水さんらしい詩を書くかというと、無理をしていないから。清水さんの肉体からそのまま出てきている。見た目はいかにもな作り物ですけど、じつは自然にできていると思う。心地よいところから心地よい道筋を通って詩を生み出している。

詩がわかる、わからない

この詩は有名だとか好きだとかいろいろ言いましたが、では、この詩はわかりやすいでしょうか。キーとなる言葉は「希望を捨てて」、「あきらめる」です。言葉はどれもつやつやと光っています。「唄」「楽器」「石英」「果実」「刺青」。名詞だけではなくて、動詞も魅力的です。「包まれる」「揺れる」「投げる」「呼び返す」。すべての単語が生命の適度な水分を含んでいる。一行一行が色鮮やかで、しずくが垂れるように下へ向かっていて、その一番下に作者がかがみこんでいる。そんな感じがします。

でも、何をあきらめたのかは書いてない。書いてあるのは「希望」をあきらめたということで、この「希望」が具体的に何を指すのかははっきりと言っていません。「たった一人を呼び返すために」の「たった一人」とは誰なのか、特定の誰かなのか、あるいは不特定の誰かなのかも明確にはしていない。何を指すのか書いていないということは、すべてをあきらめたということのようでもあります。

もちろん清水さんがこの詩を書いたときの時代背景や年譜から出来事や個々の言葉の奥を類推することはできます。でも、勉強して詩を読むのでなく、清水さんについての知識を持たない読者が、詩だけを前に据えたときにはわからないところがたくさんあります。それにもかかわらずぼくはこの詩が好きだし、先ほどの言葉で言えば感じるし、すごいと思う。ぼくは、たぶんこの詩が完全にはわかっていない。わかっていないのに好きな詩というのがある。それってなぜなのか。

この感覚って、よく言われている「詩は難解だ」という問題とつながっているのかなと思う。清水さんの詩って、詩の世界では決して難解ではありません。もっと難しい詩を書く人がたくさんいます。でも、それでも清水さんの詩は、詩を読み慣れていない人にはなかなかわかりにくいのではないかなとも思う。以前、清水さんと話をしていたときに、清水さんが「松下くんの詩がわかりやすいって言うけど、じゃあ回覧板に載せたら、町内会の人はわかるかい？」と言われて、なるほど、詩って不思議だなと思いました。

ここで参考に、よくわかる詩を見てみましょう。谷川俊太郎さんの、有名な詩です。

☆

かなしみ

あの青い空の波の音が聞えるあたりに
何かとんでもないおとし物を

僕はしてきてしまったらしい

透明な過去の駅で
遺失物係の前に立ったら
僕は余計に悲しくなってしまった

（『二十億光年の孤独』創元社、一九五二年）

どうでしょう。読んでいたら泣きそうになってしまいましたが、この詩がわからないという人はいるでしょうか。ちなみにこの詩は、いろんなところで引用されています。教科書とか詩の評論のなかだけではなくて、ビジネス書でもたまに引用されている。そのくらいわかりやすい。詩を書かない、読まない人でもわかる詩です。でも、この詩はビジネス書に引用されるけど、ビジネス書に、清水さんの「美しい五月」は引用されませんよね。

もう一度、清水さんの「美しい五月」に戻りましょう。こちらの詩にもぼくは感動します。でも、わからないところが少なからずあります。わからないところがありますが、そんなことはどうでもよいと思う気持ちが湧いてきます。わかるところだけに惹かれて読んでいたいと思います。そうすると、わからない部分もとても魅力的に感じられてきます。なぜだかわかりませんが、詩って、そういうふうに読んでいいんだと思うんです。一〇〇%読みきれることが詩を読むことではない。どこか一点、惹かれるところがあるだけでも、詩を読めたと言っていい。

一点というのは詩のなかの一部というだけではなくて、ひとつの側面ということも含みます。

このあたりが、詩を読み慣れていない人がとまどうところだと思います。一篇の詩のなかにわからない箇所があると、詩がわからないと思ってしまう。でもそうではない。詩のどこかに感応すれば、それが詩を感じたということであり、そのことを詩がわかると言っていい。

あるいは、この読み方は自分に引きつけて読んでいるだけで、正当な読み方ではない、だから、私はこの詩をしっかりとわかっていないと考える人もいます。そうではない。自分の勝手な感じ方で受け取るものがあったら、それが、詩がわかるということです。詩は、答え合わせをして正解を見つけるものではない。すべての人の読みは、その人の勝手な読みです。詩の定義は読む人の数だけあるんです。

この詩は初めから、見えているものや感じていることを素直に書いてある詩ではありません。言葉はその意味とともに、その奥に別の意味を携えています。暗喩です。だから、言葉をひとつひとつ読み解いていくことは可能だけど難しいし、読み手によって人それぞれに違うイメージを抱くこともあります。

「頬と帽子をかすめて飛ぶ」「希望を捨て」るというのは、若い頃に夢見た鮮烈な将来像が崩れたということでしょう。「唄が火に包まれる」というのは、火を囲んで歌を唄う若者の群像を連想します。そのひとりひとりの熱い願いが見えてきます。「記憶の石英」とは何か、「握った果実」とは何かと謎解きをしていくことにも意味はあるのでしょう。これが書かれた時代を考えれば、学生運動やその挫折を連想することも可能です。

でもそんなことを考えずとも、「記憶の石英」という言葉の煌めきや、「握った果実」という言葉の生命力に溢れたずっしりとした手応えのある重さを、言葉そのものから感じることができます。その感じ方が、この詩の正当な読み方なのではないかと思います。言葉の奥に暗示されている事実がどうであれ、ここに出てきた言葉は清水さんによって選ばれて詩のなかに置かれた言葉であって、その言葉の姿形は、じつに洗練されていて新鮮に感じられます。

あきらめることの美しさ

ぼくがこの詩のなかで一番ぐっとくるのは「私はあきらめる／光の中の出合いを／私はあきらめる／かがみこむほどの愛を」、この四行です。もちろんこの四行が出てくるまでに、他の言葉がこの言葉を引き立てるような御膳立てをしているわけですが、これを初めて読んだときのぼくはまだ若くて、若いということが邪魔で仕方がなかった。詩を書いてもなかなかよい詩が書けず、仕事も同僚が先に出世したりしてやる気をなくして、何もかもうまくいかなかった頃です。そんな自分を無性に愛おしくなってしまった気持ちをこの詩は代弁してくれています。まさに、自分の人生の真ん中で、さまざまなことをあきらめながら、貧しい膝を抱えてかがみこむ自分が見えた。あきらめることの美しさ、かがみこむという日本語のなんという美しさかと圧倒されました。

そういうふうにこの「かがみこむ」の言葉を受け止めたのです。つきつめれば、ぼくにとってこの詩は、「かがみこむ」のひと言に尽きます。いろんなときに、この詩が頭に浮かんで、そのたびにぼくは身をかがめて、かがみこんで生きてきました。勇気づけられるとか、そういうのとも違う。ぼくの生き方はこうなんだなという、そんな感じなのです。詩ってそういうふうに食いこんできて、わかるとかわからないの問題ではなくなってくる。

繰り返しになりますが、詩というのは、勝手な読み方をしてかまわない。読み手の勘違いだろうと読み間違いだろうと、読み手のそのときの状況や気分や思いこみで読んでいいと思います。その言葉にうっとりしていればいい。それで救われる気持ちというのがある。

詩には、言葉の本来の意味を伝えてくれて、その伝わった意味の深さと鋭さに感動する、谷川さんのような詩がある一方、清水さんの詩のような、言葉の本来の意味とは違った側面を引き立てて見せてくれる詩があります。ぼくは、谷川さんのような詩と、清水さんのような詩の両方が、いまの日本語の詩を支えているのではないかと感じています。両方とも鳥肌が立つほどすばらしい。

言葉がリードする詩

清水さんの詩の続きです。「椅子のある場所」を読んでみましょう。

☆

椅子のある場所

むかし　庖丁が吊るしてあったところに
いま　庖丁は吊るしてない
でも　杓文字《しゃもじ》は吊るしてあるよ
なぜなら　杓文字は甘い水をはじくからね
（真冬の浅いめまいのように……）

むかし　茶簞笥が置いてあったところに
いま　茶簞笥は置いてない
でも　踏台は置いてあるよ
なぜなら　踏台は木の命を信じないからね
（夢で燃えるキビガラのように……）

むかし　誰も坐っていなかった椅子に

いま　ぼくが坐っている
でも　妹は坐ってないよ　妹の猫も
なぜなら　妹は忙しいからね　妹の猫も
（そのお尻から味噌の血が垂れてる……）

だから　ぼくが妹にしてあげられるのは
台所や便所の戸口で
スリッパの光りを揃えることだけ
（ほんとうは
　妹なんていないくせに……）
だけど　娘のほうはひとりいて
二歳の彼女はそれほど忙しくないから
ぼくの椅子にも坐りにくるんだ
（木を伝う水滴の目をして……）

（『水甕座の水』紫陽社、一九七五年）

まず思うのは、接続詞を勝手な使い方で使っているな、ということです。「なぜなら」とか「だから」とか。何が「だから」なんだろう。にもかかわらず、日本語の接続詞ってこんなに魅力的なものなのかと感じてしまう。同時に、わけのわからない論理や理屈って、なぜこれほど心を震わすのだろうと思う。論理や理屈ってポエジーに反することではなくて、ポエジーとつながるということを、清水さんは教えてくれます。

たとえば、一連目の「でも」ってなんなの?と思う。包丁のかわりに杓文字が吊るしてあるということですが、それをどうしてわざわざ行を分けて書く必要があるのか。ここに清水さんのまわりくどい論理、理屈の面白さがあります。この面白さを説明するのはとても難しい。面白くないと思っている人に面白さを説明するのはほとんど不可能に近いですから。

それでもあえて試してみると、「包丁」があったところに「包丁」がないというのは、時間の経過をほのめかしていて、昔心引かれていたものが消え去ったことの切なさが書かれていると読めます。かわりに「杓文字」が吊るされているというのは、いまはいまの心引かれるものがあるらしい。でも、なぜここは「おたま」じゃなくて「杓文字」でなければいけないのか。

でもそうなんです。ここは「杓文字」であってほしい。なぜなら、「杓文字」という日本語が魅力的だから。「杓文字」だから清水さんの詩になるんです。杓文字は普通名詞だから、これの何が魅力的なのかと聞かれても答えようがない。清水さんの詩のなかで「杓文字」という文字を見たり、「しゃもじ」という言葉の音を聞くと、いいなと感じてしまう。でも、じゃあ「杓文字」という単語を使えば詩が魅力的になるかというと、そう単純なものではない。清水さんの詩の構成のなかで杓文字が吊るされているから魅力的なのです。

この詩の特徴は、接続詞の「でも」とか「なぜなら」でつながっているこのわけのわからない理屈の構文です。「杓文字は甘い水をはじくからね」というのはいかにも清水さんらしい一行です。言ってしまえば、この詩にはまっとうな意味は何もないのだと思う。まっとうな意味はないのに、それらしい接続詞があったり理屈が述べられたりする。何もない空中で、ひたすら文章の溶接作業をしているようなものです。そして、何もないと感じるところには、現実の物たちは両手で払いのけられていて、きらきら輝く透明な言葉だけが存在しています。「甘い水」ってなんだろうと考えるのはかまわない。「甘い水」が何かという類推はできるけど、正解なんかどこにもないのだとぼくは思います。「甘い水」という言葉がいい。つまり杓文字は「甘い水」をはじくのではなく、「甘い水」という言葉をはじくということです。「はじく」も、言葉の上での「はじく」でしかありません。実際に、はじかなくてもいい。単に「はじく」という言葉の切れ味を感じさせてくれるなら、それでいいんです。

いま、まっとうな意味のない詩だと言いましたが、最後のほうに、まっとうな意味のあることがちょっと書かれている。なんの理屈もない架空の話の最後に、そっと現実を挟みこんである。「だけど　娘のほうはひとりいて／二歳の彼女はそれほど忙しくないから／ぼくの椅子にも坐りにくるんだ」のところです。

ここは詩を書く者にとってはとても勉強になります。つまり、現実をホンの少し詩に入れると、詩がぐっと読者に近寄ることができるということです。好き勝手に書いている詩が、急に真面目な顔になって清水さんの手元に集まってきています。清水さんが書いているという行為がこの詩のなかに入ってくるわけです。その清水さんには、詩の外に生活があり、奥さんがいて、娘がいるんだなということがわかります。生活と詩とがこんなところで出会っています。

生活とか日常っていうと、なんだかちまちましたことのように思われがちだけど、そうじゃない。そんなに単純なものじゃないんです。その生活と詩の出会いは、どんな詩にも、その詩を書いている人がいるのだという重要なことを思い出させてくれます。そして不思議なことに、詩のなかに現実を調味料のようにちょっと振りかけるだけで、それまでのレトリックがさらに心震わせるものになります。

で、ここを読んで気がつくことがあります。清水さんは言葉のための詩を前面に押し出している詩人ではないということ。先ほど、いまの詩は谷川さんタイプと清水さんタイプの詩の魅力があると言いましたが、清水さんは、谷川さんタイプの詩もたくさん書いている。それは、谷川さんが清水さんタイプの詩を書いているのと同じように、です。

意味がリードする詩

では、清水さんの、谷川さんタイプの意味で感動を与える詩をひとつ見てみましょう。「八月の元気」というのを読みます。海水浴場の詩です。「海水浴場」って変な日本語ですね。あれは浴場ですかね。それはともかく、読んでみます。

☆

八月の元気

海水浴場で考えることは
あまりない
ただこれだけたくさんの人たちが
やがては
それぞれの家というところに帰り
やがては
それぞれの家というところから
ここにいる人たちの数と
きっちり同じ数の死体となって
出ていくのだなと思う
そう思うと
安心する
安心して

裸の人たちを見ることができる
安心して
元気に海の虫を殺すことができる
元気に元気に
人は海というところで
死に慣れていくのである

（『野に、球。』紫陽社、一九七七年）

わかりやすい詩ですね。この詩はふつうの単語の意味、接続詞、論理で書かれています。通常は、そんなことは詩の特徴にはなりませんが、清水さんにこれだけふつうの言葉で書かれるとちょっと驚きます。野球に喩えるなら、変化球ばかり投げていたピッチャーが、いきなりストレートを投げてきた感じがします。そこがとても新鮮です。

この詩を読んでいると、言葉を飾らなくても詩は書ける、飾らないほうが直接心に届く詩が書けるということがわかります。変な言い方ですが、詩のために考えたことを詩に書くのではなくて、いつも考えていることを詩にしたほうがしっかりした詩になる、強靭な詩になる。詩を書く、ものを書くっていうのは何を書いてもかまわないわけです。どこにも根っこのない、いい加減なことも書ける。空想で書けます。

さらに言えば、信じていないことだって書ける。書けるけど、そういうのってどこか手応えがない。書くことって、やはりいつも考えていることを核にしないと、自分が書いている意味がないような気がします。それは別に、いつも考えていることをそのまま書いたほうがいいと言っているわけではなくて、いつも感じたり考えていることを核にして、あとは書くときのひらめきや自分を超えた発想に任せればいいんだと思うのです。

この詩の内容は、「死」に関することです。自分もいつかは死ぬし、海水浴場で遊ぶ人たちもみんないつか死ぬという当然のことを再認識して、それで安心しています。安心するっていうのがこの詩の中心にあるわけですが、その気持ちがよくわかる。すでにわかっていることを詩で読むことも感動になりうる。とくに海水浴場で、目の前に見える人たちは裸で、服を着て自らを隠しているわけでも飾り立てているわけでもない、そういう感慨が、文章や言葉を裸のまま使いたいという気持ちにつながったのだろうと思います。

生きていればいろんなことがあります。だからつい詩なんか書いてしまうわけですが、自分よりも成功している人も、どんなに高い地位にいて威張っている人も、お金持ちも貧乏人も、幸せな人も、あるいは不幸せな人も、つまるところ、最後は同じ場所に行き着くのだ。そう考えれば心は安らかになって、いまの悩みも少しは耐えられるのではないか、ということでしょうか。現実の悩みというのは、そう簡単に忘れられるものではありませんが、考え方次第で、一瞬、気持ちを救うことができるということかもしれません。

ぼくがちょっと違和感を持ったのは「元気に海の虫を殺すことができる」のところです。ここはこの詩のなかで唯一、言葉の面白さに手を伸ばしたところかなと感じます。「海の虫を殺す」っていう言葉自体の面白さは感じますが、ものみな死ぬことがわかっていて、それなのに弱い虫を殺す、それも元気に殺すってどういうことだろう。この虫を人間に見立てて、誰もがそのうち死んでいくことを、運命の指先に殺されることとしてとらえているのかもしれません。清水さん独特の諧謔かもしれないし、逆説的な論理を持ち出したのかもしれません。

　あとはよくわかります。この詩はホントに海水浴場の広々と広がっている海と空のように明解な詩です。「人は海というところで／死に慣れていくのである」。なるほど、と思います。生きていくこと自体が、毎日死に慣れてゆくことなのですから。この詩は、人の死、生物としての人が死ぬことをテーマにしていますから、おのずと言葉はその意味をそのまま抱えた詩になっていったのかな。

　清水さんの現代詩文庫を読んでいると、初期の詩篇から徐々に言葉の意味をそのまま使って書かれるようになっていく。初期の詩のわかりにくさがなくなって、無駄な力の抜けた、どこか人生の中心を見据えて書かれたような詩が多くなる。もちろん独特な艶は健在なのですが、その艶に頼らずに書かれた詩がたくさんあります。最近も『換気扇の下の小さな椅子で』（書肆山田）というすばらしい詩集を出されました。

二重構造の感傷

最後に、「この詩を書いたあとで、スタンカに会えた」という詩を読んで終わります。

☆

この詩を書いたあとで、スタンカに会えた

ジョー・スタンカと野村克也がキャッチ・ボールをやっている。
ネクタイ姿で。ヒューストン郊外のひだまりのなかで。

そんなテレビを見て、ほろりとした。
ほろりとして、ビールをもう一本のんだ。

ほろり、ほろり、か。
ほろり、の、このごろ。
（中略）
その一球。

そんな一球は、誰にもあるというわけじゃない。

ほろり、と、おれは立ち上って、
両手を上にふりかぶってみる。

四十五歳のひょろながあい影が、
台所のほうまで伸びていって、不意に曲がる。

曲がったところから、娘たちの笑いごえが、不意に起きて、
おれの一球は、ほろり、と、手からこぼれてしまう。

（中略）

たしかに、スタンカが投げていました。
たしかに、野村が受けていました。

それだけのことを、それだけのこととして、覚えていて、
ほろり、と、したりするのかよ。

なにゆえに。ほろり、と。
なにゆえに。
（中略）
横倒れのキャッチャーの姿勢で、
今夜もねむる。

ほろり、ほろり。
夢の一葉。

（隔週刊詩18、『東京』書肆山田、一九八五年）

長い詩なので、だいぶ省略してしまいましたが、この詩もわかりやすい。この詩は、感傷を詩にしています。好きなもの、懐しいものに惹かれるまっすぐな感傷です。詩に感傷を持ち出すと、どこか歳をとった感じがして、若い頃にはそういう詩は敬遠します。でも長年詩を書いていると、多くの詩人はわかりやすい感傷のほうに傾いてゆきます。清水さんもそうなのだと思います。

では、清水さんの若い頃の詩には、このようなわかりやすい感傷がなかったかというと、そうではなく、もともとありました。若い抒情詩のすき間から、時折のぞいていた。なので、元からあったものが歳とともにむき出しになってきた、あるいは、だんだん感じたものに飾りをつけずに書くようになったのではないのでしょうか。ぼくもかなり感傷に傾いた詩を書いています。歳をとってからその傾向が強くなってきました。でも、若い人のような詩を書こうとは思っていません。無理はしないつもりです。

　この詩は、二人の野球選手が引退後に気楽にキャッチボールをしているところを、清水さんがテレビを観ているという構図です。つまり、感傷にふけっているのは作者である清水さんだけではなく、テレビ画面のなかの二人も、かつての選手時代のことを思い出して感傷にふけっている。つまり二重構造の感傷なんです。

「懐しさ」は、清水さんの詩の大きな柱です。懐しさに傾いてゆく体と心を描かせたら、清水さんの右に出る人はいないのではないかと思います。この詩でぼくが一番好きなのは、最後の「横倒れのキャッチャーの姿勢で、／今夜もねむる。」のところです。まさにキャッチャーミットを構えている姿勢が目に浮かぶようです。布団のなかでキャッチャーミットで受け止めているのは、それまでの人生のすべてなのでしょう。「横倒れ」というのは、懐しさへ傾いてゆく体と心そのものです。この傾きで、横倒れのままぼくは清水さんの詩をこれからも読んでゆこうと思います。

2020.8.8　Zoom

詩人の幸せについて　寺山修司の詩

今日は、寺山修司について、大きく三つの話をしようと思います。
ひとつ目は、「詩のわかりにくさ」について、二つ目は、「詩人の幸せ」について、三つ目は、寺山さんから学ぶ「詩の書き方」について。

詩のわかりにくさについて

以前、詩が「わかるかわからないか」ということのほかに、それを超えて届く詩の読み方もあるという話をしました。清水哲男さんの詩の一部には、意味はわからないけど伝わるものがあって、詩によっては言葉を意味としてとらえるよりも、わからなさのまま受け止めるほうが心地よい詩もある。

それに対して、谷川さんの詩は、言葉の意味を受け取って、そのまま理解できる。つまり、わかる詩の代表として谷川さんの詩を、わからなくても感じる詩の代表として清水さんの詩を並べてみたのですが、では寺山さんの詩は、どうでしょう。言うまでもなく、寺山さんの詩も谷川さんと同様にわかる詩の部類に入ります。読んでみましょう。

☆

海

＊

つきよのうみに
いちまいの
てがみをながして
やりました

つきのひかりに
てらされて
てがみはあおく

なるでしょう

ひとがさかなと
よぶものは
みんなだれかの
てがみです

『少女詩集』（角川書店）という詩集のなかの詩です。寺山さんは、この少女詩集という形で詩集を何冊も出しています。「少女詩」というのは、寺山さんが好んで書いた抒情的な作品群です。少女詩集の「少女」のイメージって夢見心地で、お姫さまのような心を持っていてと、そんな印象を持ちます。読者を想定して書かれているせいか、とても甘い詩ですね。砂糖菓子みたいです。

「少女詩集」のような詩が他に書かれていないかというと、そんなことはなくて、決して珍しくはないわけです。いわゆるポエムと呼ばれるような詩も、たくさん書かれています。では、この寺山修司の詩は、詩としてはどうでしょう。どこか西条八十とか北原白秋の童謡と似たリズムを持っています。内容としては「手紙を海に流す」という行為が書いてあって、その海に流された手紙が月の光に青く光り出すというのが二連目。最終連で、その海のなかで光っているのはじつは魚であって、その魚は人が海へ流した手紙なんだよというオチです。オチといっては台無しなので「理由」と言ったほうがいいかもしれません。

こういうふうに説明してしまうと、たいしたことなさそうですが、やっぱりすごいと思う。最終連の「ひとがさかなと／よぶものは／みんなだれかの／てがみです」というところは、言葉の順序が絶妙です。ふつうに書くと、「うみへながした／てがみは／みんなさかなになって／およいでいる」とでも書きそうなところをあえて最初に魚を出してきて、読む人に「おや、なんで魚が出てくるんだろう」と思わせて、それが詩の最初のほうに出てきた手紙のことだったと逆から理由を説明していきます。

寺山さんはたぶん企んでやっているのではないと思う。寺山さんはただ詩を書いていて、当たり前にこういった順序で書いてしまったという感じがする。詩としてのインパクトを出すにはどうしたらいいかということに対する考えが身についているから、自然にこういうふうに書けてしまうのでしょうね。詩の技術って、暗喩にしても擬人法にしても、今回はこういう技術を駆使しようなんて気持ちで詩を書くと、ぎこちなくなってしまう。技術が目立ってはいけない。その技術が身についてくると、考えないうちに気づかずに活用できるようになる。それが本物の技術なんです。

最初の「わかる、わからない」の話に戻ると、この詩はとてもわかりやすいわけです。必要以上にわかりやすい。いまでも、中学生や高校生、あるいは大人になってもこういったわかりやすい少女詩って、たくさん書かれています。月だったり、星だったり、恋だったり。ありふれているわけです。ありふれてはいるんだけど、この寺山さんの詩はやっぱり気が利いていて、ぐっとくる。

この詩を読んでいると、詩の向こう側に、いろんな想像ができます。もし海の魚が手紙だとしたら、配達員は誰なのだろう。寄せては返す波が配達員だろうか。あるいは、手紙が魚なら、その手紙の一ページは魚の鱗の一枚ずつの輝きのことかもしれない。この詩は、さらにいろんなことを連想させてくれる。すぐれた詩って、その詩を読んでいると詩が書きたくなります。

あえて少女詩と名前をつけて、少女の視点で詩を書こうなんて、詩人はふつうしようとしません。でも寺山さんはするんです。なぜかと言うと、寺山さんの感性が少女の感性に近いことを本人が気づいていたからだと思います。自分に合った、自分の感性に見合った領域を見つけて、そこで才能を吐き出す。それが重要なんだと思います。世間での評判とか詩壇の状況とかは、たいした問題ではない。自分が心打たれる詩はなんだろうと、正直に自分に聞いてみるといいと思う。自分に合った詩を書くことの大切さ、自分の才能に合った領域を見つけ出すことの大切さを、この詩は教えてくれます。

自分に向いた詩の雑誌や出版社、詩の友人や同人誌を自分の詩のために見つけてあげることも大事です。自分が似合っていない場所で無理して似合わない詩を書いていないか、立ち止まってみてもいいかもしれません。

自分の力を発揮できる場所で書く

では、寺山さんの詩にはわかりにくい詩はないかというと、そうでもありません。それを次に見てみましょう。「書物の私生児」という詩です。

☆

書物の私生児

いろは四十八文字を紙に書き
鋏で切ってならべかえてみる
いしかねぬいに
くちみほそ
のせもたむるは
おえれよら
とますわこきや　あんろへめ
をてなひけゆう　さゑつふり
（中略）

しば
さば
ばてん
ゆりりうす
えとら　せっりよう　とどまさえ
ろけん　やだいば　あらだらに
（後略）

（現代詩文庫『寺山修司詩集』思潮社、一九七二年）

わかりにくい、というより、わからないですね。だって、わからないように書いているので当たり前です。でも、この詩は本当にわかりにくいでしょうか。でも、一般的に言うところの現代詩の「わかりにくさ」と、この詩の「わかりにくさ」は違います。何が違うかというと、現代詩の「わかりにくさ」というのは、多くの読者がわからないと思っていても、書いている本人とそれをわかる読者は、わかりにくいとは思っていないわけです。この詩は、作者の寺山さんが意図してみんながわからない詩にしようとしています。

つまり、書いていて結果的にわかりにくい詩が書けてしまったのではなくて、初めからわからない詩を書こうとしている。詩はわかりにくいけれども、行為はとてもわかりやすい。だから、この詩は単に「意味がない、わかりやすい詩」なんです。意味という色のついてない透明な詩です。

つまり寺山さんは、わかりにくい詩を書こうとしても意味というものについて考えてしまうから、どうしてもわかりやすい詩になってしまう。わかりにくい詩を書こうとすると、言葉から意味を取り払おうとしてしまう。でも、取り払おうとすることからして、もう意味にとらわれてしまっているわけです。

寺山さんは、この詩で単語を意味から遠ざけようとしながら、全然遠ざかっていない。文字をばらばらにしてでき上がった単語を見て、偶然奇妙な意味を持つかもしれないという可能性を楽しんでいる。「いしかねぬいに」というのを読めば、ぼくは石と金を縫い合わせて、その意味を考えてしまう。「ゆりりうす」というのを読めば、ローマ時代だか古代ギリシャの人の名前に見えてしまう。つまり寺山さんは、言葉をばらばらにしてわかりにくくしてさえ、そのばらばらな言葉に意味を見出している。それほど言葉に意味がくっついているから、詩がわかりやすいんだと思う。意味の病に罹っている。

もちろんここでは、意味へ向かった詩のほうがいいとか、意味を裏切った詩のほうがいいとか、そんなことを言っているのではありません。意味のわかる詩を書くにしろ、意味を避けたわかりにくい詩を書くにしろ、自分の才能が際立つ表現方法を見極めて選んで書きつくすことが大切だということです。

繰り返しますが、この詩はわけがわからないのですが、なぜこのような詩を書こうとしたかという意図はとてもわかりやすい。そして、ここでも少女詩のときと同じようなことに気づきます。

つまり、こういった実験的な詩を書くことは、寺山さんだけではなくて多くの人によってなされてきました。でも、成功している実験詩は、あまり見かけません。たいていの実験詩は、ただやりましたというだけで、つまらないものになってしまう。でも寺山さんは、実験詩も面白く作り上げている。一見わかりづらいけど、よく見ると、やっぱり寺山さんの姿勢はいつもわかりやすい、というのが特徴です。

自分の書くものの姿を明確に現わしてしまう、あからさまにしてしまう。さらけ出してしまう。それが少女詩であっても、実験詩であっても、そうなってしまう。というのは、寺山さんは、自分が興味を持ったものには何を扱っても自分の感性をしっかりと注ぎこんで、完成度を高めることができるという自信に裏打ちされていたからかなと思います。

言い方を変えると、寺山さんには、自分に何が書けるかあらかじめ見えていたのではないか。本当はそうではなくて、他の詩人のようにただがむしゃらにやっていたのかもしれませんが、ぼくにはどうしても寺山さんには寺山さんが書くもの、書けるものが書く前からすでに見えていて、それを忠実に活字にしていったように感じられて仕方がない。

その意味で寺山さんも特別な詩人だと思います。少女詩にしろ実験詩にしろ、誰にでも簡単に書けそうなところで実力を示すことができるのは、その場所で自分が特別な才能を発揮できるということを知っていたんだろうと感じます。

詩人は幸せか

寺山さんは意味にこだわった詩を書いていた、だから寺山さんの詩はわかりやすい。あえてわかりやすい詩のなかにいて、そこで自分の才能を見せつけていたという話をしました。意味にこだわった詩を書いていると、詩の内容は、おのずから生きていることの意味に向かってゆきます。そして生きていることの意味を問うていくと、幸せかどうかという方向へ考えは向かっていく。

ここからは少し視点を変えて、「詩人は幸せか」ということを寺山さんの詩から見てみたいと思います。「流れ星のノート」という詩です。

☆

流れ星のノート

果物屋の店先には　かならず傷のついたリンゴがまじっています
同じ一房の葡萄《ぶどう》のなかにも　一粒か二粒の痛んだものがかならずある
人生も同じことです

同じ日に同じ町で生まれても
すべて順調にいく人と　何をやってもうまくいかない人とがある
ここにおさめた傷ついた果実たちを
運がわるかったと言うのは　当っていないでしょう
彼女たちは　より深く人生を見つめ
その裏側にあるものまで見てしまったのです
そして
そんな詩を書ける人こそ
ほんとの友だちになれる人なのではなかろうか
（『少女詩集』）

寺山さんの詩としては、ちょっと珍しい部類かもしれません。なんというか、すごく素直に書かれている。たいてい逆説的に物事を見て、それによって読者を驚かせている詩人にしては珍しく、まっすぐに主題と向き合った詩です。

詩の流れとしては三つに分けられます。ひとつ目は、一行目から五行目です。果物も人も、うまくいかないものがあるという。二つ目は、六行目と七行目です。でもその果物や人は、本当にうまくいかなかったのだろうかと疑問を提示している。

三つ目は、八行目から最後の十二行目までです。いえ、うまくいかなかったからこそ見えてきたものがあって、だから人生の総体としては決してうまくいかなかったわけではない。

短い詩ですが、途中に二か所の曲がり角があって、そのたびに読者は別の視点からものを見せられる。興味深いのは、最後の部分の、人生がうまくいかなかったわけではないことの例として、「そんな詩を書ける人」を出していることです。つまり、一見恵まれていない詩人というものは、その表面だけがすべてではなくて、それらをカバーできるほどの幸せを与えられる、つまりすぐれた詩が書けるという幸せがあるのだと言っているわけです。

なるほど、この詩は詩人についての一般論を書いているのだなと思うわけですが、では、ここに寺山さんは含まれているのだろうかという疑問が湧いてきます。というのも、寺山さんは、ふつうの詩人と違って詩以外の才能もたくさん持っていた。詩しか書けないから書いている人間と違って、詩も書けば書けた。決して生きることに不器用だったり不幸だったりしている傷のついたリンゴには見えない。この詩では、結論として詩を書く人は不幸せではないということになっていますが、でもそれも人によるのではという疑問が出てくる。寺山さんのような才能豊かな詩人とふつうの詩人は、どちらが幸せなのか。「海の消えた日」という詩を読んで考えてみます。

☆

海の消えた日

ある日、突然、世界中の海が消えてしまった。
そして、人々は誰もそのことを口にしなくなってしまった。
一体、海はどんなものだったか。
思い出そうとして書物をひらくと、どの書物の中からも
海という字が失《な》くなってしまっているのだった。

勿論《もちろん》、ルーブル美術館の展示物からも
大英図書館の海洋写真集からも
海に関するイメージも記述も
あとかたもなくなってしまっていた。

だれかに話しかけても
海について思い出せる人はひとりもなく
「そんな沢山《たくさん》の水が、地球から
こぼれもしないで存在してたなんて」

と笑い出す始末だった。

私は、たった一人のときだけ海を夢見
独占し、そのことを口に出す
というはかない現実を生きながら
ときどき大きな声で
呼びかけてみるのだった。

かもめ!

（『少女詩集』）

詩の才能とは?

全体に、童話を読んでいるような気分になります。「ある日」という詩の始め方からして日々の悩みからは遠いところで詩が書かれています。ふつうダイの大人が「ある日、突然、世界中の海が消えてしまった」なんて書こうとするでしょうか。ちょっと気恥ずかしい感じがすると思う。もしこのように始めたら、その海は、自分のなかの欲望の溢れであったり、人を思う波の揺れであったり、海とは言っているものの、じつは海ではないものの象徴として書くことになると思うのです。

でも、寺山さんは、「海が消えてしまった」と書いたら、そのまま海が消えてしまった詩を書こうとします。その海は、自分の内面の比喩でもなく、日々の行動の比喩でもなく、海なんです。どこかの国の、本当の海、いえ、本当の海ではなく、どこにもない絵に描いた架空の海。なぜ絵に描いた海を詩にするかというと、寺山さんが詩から自分を切り離しているからです。プロの詩人として、寺山さんは、書く対象を自分から切り離して、対象そのものとして詩を書いているわけです。

ここに書かれているのは物語です。海という言葉もなくなって、海があったことなんて誰も思い出さない、と話は続きます。そんなことがあるわけがないと目くじらを立てる必要はない。だってこれは、ぼくやあなたの生活から切り離された、絵本のなかのお話だから。ぼくが教室でよく言うのは、「身近なところから、さりげないけれども切実な問題を見つけて、そこから詩を書き始めて、自分とは何か、生きるとは何かを考えてみよう」ということですが、この詩はそういう詩の書き方からはかなり遠いところで書かれている。この、「遠いところで書かれている感じ」も寺山さんの詩のひとつの特徴ではないかと思います。

そのお話の最後では、「私」だけが海のことを覚えていて、一人になると思い出すとあります。私だけが多くの人と違うという感覚は、寺山さんが自分の才能を自覚していることにつながっているように感じます。みんなが「海」のことを忘れてしまったことを書かれているように見えるけど、そうではなく、寺山さんだけにしか見えない「海」があることが書かれている。

詩を書く者は、たいてい発想に悩み、創作に悩み、才能のなさに悩みながら苦心して詩を書いている。なんとかましな作品を書こうとする。ぼくもそうです。だからこそ、この詩を読むと、特別な才能を与えられた詩人が本当にいる、いたことに驚きます。

「海」は「才能」の比喩でもある。原稿用紙を目の前にして、その人にしか見えない海がいきなり見えてしまうことってあるのだろうか。そしてそれは幸せなことなのだろうか。特別であることは、幸せなことなのか。「詩の才能」ということを、ぼくはしばしば考えます。自分についても考えますが、ぼくは詩の教室をやっているから、詩を書く多くの人を現場で見ていま す。見ていると、ホントに人それぞれです。だから「詩の才能」ということをいやでも考えさせられます。

気の利いた言葉遣いをすぐに身につける人もいるし、何年かかってもなかなか人に伝わる詩にたどり着けない人もいる。それってどういうことだろう。やっかいなことに「コツを身につける要領のよさ」と「詩に対する思い入れの深さ」は必ずしも比例しません。詩を深く愛していても、それに比例して詩が上手くなるというわけでもない。だからと言って、ずっと同じような、不器用な詩をひたすら書いている人は不幸でしょうか。一方、手っ取り早く気の利いた詩が書ける人は幸せでしょうか。

ぼくが感じるのは、詩に惹かれる人にとって、その結果というのは結局のところたいした問題ではなくて、人はそれぞれ、各々の才能のなかでそれぞれの満足をつかんでいて、それが重要だということ。詩に惹かれる、詩を書こうという気持ちになる、そのことの厳かさというか。それは決してあきらめの気持ちで言っているのではなくて、生きる喜びを持つことができたのだから、あとのことは大きな問題ではないという気がします。

その「たいしたことではない」ことに全力を尽くすことが大切で、それぞれのなかで達成できることがあると思うのです。ＮＨＫのドラマ「エール」のなかで島崎藤村の言葉が出てきました。「創作というのは外にある太陽を追い求めるのではなくて、自分のなかに太陽を燃やすこと」とか、そんな言葉だったと思う。それと同じです。詩を書くことで大切なのは、ほめられようとすることよりも、内に燃え続ける書きたいという気持ちそのものです。

詩は疑問形の文学

寺山さんに戻りましょう。

この詩で寺山さんは特別な才能を持って生まれた自分を孤独な人間として描いています。おそらく、原稿用紙を目の前にすれば、人には見えない海が見えてしまう幸せを感じるとともに、それと同じくらい孤独も感じていたのではないでしょうか。特別な詩人は、必ずしも凡庸な詩人よりも幸せであるとはかぎらない。幸せを感じるのは、おそらく詩を生み出すときの心の震えによってであり、それはぼくらのような凡庸な詩人の幸せと、寺山さんも同じだったのではないか。

つまり、詩を書く人は、うまく生きられないことによって見えてくるものがあり、それを詩に書く幸せを持っている。寺山さんのような特別な詩人は、容易に詩を書けるからそれだけ幸せだったかというとそうではない。寺山さんもぼくらと同じように、詩ができ上がった喜びを感じ、そこにこそ幸せを見出していたのだろうと思うのです。

ここからさらに寺山さんという特別な詩人から、学べることを少しでも学んでいこうと思います。

☆

質問する

今年になって何人に手紙を書いたか
影も住民登録するべきだろうか
（中略）
かくれんぼの鬼に角がないのはなぜだろうか
狼男の本名は何だろうか
（中略）
星条旗の星はなぜ星座表に出ていないのだろうか

切り裂きジャックの得意の学科は何だったろうか
地球が丸いのにスクリーンが四角なのはなぜだろうか
想像しなかったことも歴史のうちだろうか
十五人乗りの詩はあるだろうか
正しいうそのつき方は幾通りあるだろうか
自由とはただの地名にすぎないのだろうか
ロバとピアノはどっちが早口だろうか
世界一の屑は何だろうか
質問することは犯罪だろうか
親指の親はなぜ父親をあらわしているのだろうか
書物の起源と盗賊の起源は、どっちがさきだったろうか

（以下、引用は、現代詩文庫『寺山修司詩集』より）

この詩は「質問する」という題ですが、寺山さんの発想集のようです。この一行一行からさらに詩が生まれそうな可能性を持っています。一篇の詩は、ひとつの質問に凝縮できるとも言えるかもしれません。詩を書くってどういうことだろう、死ぬってどういうことだろう、生きるってどういうことだろう、自分ってなんだろう、永遠ってどれほどの長さだろう、「時」は

どうして止まらないのだろうと、湧いてくる疑問をひたすら文字にしてゆくことが詩です。その意味で、「質問する」というのは、まさに「詩を書く」のと同じ意味なのかなと思う。よく読むと、いつもそばにあって、なんとなく見ているものを見つめることによって生まれてきた疑問が多いように感じます。これは、ぼくらが詩を書くヒントにもなる。

たとえば「影も住民登録するべきだろうか」。この質問が際立っているのは、「影」という身近なものをあらためて見直してみる態度にあります。影は、その影を作っている人のものであり、だとしたら、人が住民登録するように、影も住民登録をしないといけないんじゃないかということですが、この一行を読むと、影が市役所の担当者と向き合って話している図を思い浮かべます。役所の担当者から「残念ですが、影だけでは登録できないんですよ」と断られて、肩を落として市役所を去る影の寂しさも想像します。一行一行から、そういった物語を作れる気がします。

「かくれんぼの鬼に角がないのはなぜだろうか」にも同様のことが言えます。「かくれんぼ」というありふれた遊びを、あらためて新鮮な目で見つめ直しています。「かくれんぼ」には鬼がいます。鬼なのに、鬼の姿をしているわけでもなく、鬼の形相をしているわけでもないことに気づいたのがこの詩の発想の元でしょう。でも、服や形相のことを書いても詩としてはインパクトがないので、思いきって角《つの》がないと書きます。そして角と書いた途端に、夕方の神社で、鬼になった子どもの頭にうっすらと角が生え始める様子が、詩の向こうに見えてくる。ここにもひとつの物語がひそんでいます。

繰り返しになりますが、ここに並べられた質問は、その多くが身近なものを見つめたところから発せられた疑問、着想からなっています。おそらく詩の発想というのは、そういうものだと思う。同じものを見たときに、どのくらいそれを新鮮に見ることができるか、そこにどれほどの疑問を持てるかが、詩人としての素養につながるのではないでしょうか。

寺山さんには、朝、目が覚めて見える世界が、細部にわたって疑問だらけに見えていたのではないかと思う。たくさんの質問をし続けることが、詩を書き続けることだったと思うのです。この詩から学べることは「目の前にあるものを見つめよう」ということです。

心を託しているものから比喩が生まれる

次に、「野球少年の憂鬱 (2) セカンドフライはいつ落下するか」という詩です。「詩にとって比喩とは何か」ということを見てみます。

☆

(2) セカンドフライはいつ落下するか

荷物倉庫のある階段を半分降りたところに腰かけて、落ちてくるセカンドフライを待っている男。

試合は二十年前に終り、バッターもピッチャーも家庭の彼方に去ってしまった。大戦もあったし破産もあった。だが打ちあげられた平凡なセカンドフライはまだ落ちて来ないのだ。

男四十七才　職業保険会社外交員　妻病死　趣味パチンコ　月収三万二千円　胃弱　だが落ちてくるフライだけは捕まえなければならない。それが野手の任務であり、〈交代〉に持ちこむ唯一の方法なのだから。

歴史の暮方、よれよれの背広を着たセカンドをめぐる、街にはランナーはいない。事物は意識にリードされている。二死だが危機が去った訳ではなかった。


この詩を読んで思い出したのは、昔、ぼくが会社で一緒に働いていた人のことです。その人はたいていのことを野球に喩えて話をしていました。仕事の大変さも、これからのセールスの予測にしても、人間関係も全部です。ぼくが思ったのは、好きなことというのは、その世界からすべての事象を説明できるということです。比喩というのは、こういうところから生まれてきていることがわかります。

その人にとっては、野球のなかに、世界の出来事がミニチュアのように詰まっていたんだと思います。だから野球で説明できないことなんて、ひとつもないわけです。好きなことに精通して、なんでもそこを通じて解釈できるとしたら、そこから導き出されてくるその人なりの真実もでき上がってくる。むしろ野球のなかに人生がしまわれていると言えるのかもしれません。

先月の清水哲男さんの詩にも野球選手が出てきていました。清水さんも寺山さんも野球には少なからぬ思い入れがあることが詩を読むとわかります。おそらく、清水さんも、寺山さんも、ぼくのかつての同僚も、野球観戦は単なる観戦ではなく、呼吸と同じほどにかけがえのないものだったのではないかと思います。

この詩では、二十年前の試合で打ち上げられたフライが落ちてくるのを待っている一人の男を描いています。そう説明するだけで、疲れて見上げている夕空が見えてきそうです。

詩には二通りの読み方があります。ひとつはそれをしっかり解釈しようとする読み方で、もうひとつは何も考えずにそのまま受け止める読み方です。前者なら、このフライは何を意味しているのか、二十年間が示しているものとはなんなのか、この男がたどった人生をどのように受け止めるか、落ちてくるのを待っているボールはこの男にとってなんなのか、と、いくらでも解釈してゆくことができます。

でも、ぼくはこの詩を、あえて何も考えずに読んでみたいと思うわけです。理由も理屈もなしに、ただ上空を見上げている中年の男を書いた詩と受け取りたい。何も考えずにひたすら寺山さんが書いた文字を見上げているのが、ぼくの詩の好きな読み方です。男がボールを見上げるように、寺山さんの詩を見上げていたいわけです。

そしてこの詩から、心を託しているものから比喩は自然に生まれ、そういった比喩は比喩のなかに世界を含んでいるということがわかります。比喩は、できるだけ自分が深く入りこんでいる世界から持ってくると詩が生き生きしてくると言えそうです。

あべこべの面白さ

三つ目は、「あべこべの面白さ」です。

☆

わたしのイソップ

1

肖像画に
まちがって髭を描いてしまったので
仕方なく髭を生やすことにした

門番を雇ってしまったので
門を作ることにした

一生はすべてあべこべで
わたしのための墓穴を掘り終ったら
すこし位早くても
死ぬつもりである

情婦ができたから情事にふけり
海水パンツを買ったから
夏が突然やってくる
子供の頃から
いつでもこうだった

だが
ときどき悲しんでいるのに悲しいことが起らなかったり
半鐘をたたいているのに
火事が起らなかったりすることがあると、わたしはどうしたらいいか
わからなくなってしまうのだ

だから
革命について考えるときも
ズボン吊りを
あげたりさげたりしてばかりいる
のである

この詩は、逆向きの世界、逆向きの時間、原因と結果の順序違いを書いています。なんと言ってもここに並べられたあべこべの例が、この詩の魅力です。

ぼくが一番好きなのは、「情婦ができたから情事にふけり」という一行です。「情婦ができたから、仕方ない、情事にふけるか」と腰をあげている様子が思い浮かんで面白いし、こんな感じで情事にふけるいい加減な愛人関係というか、不真面目な愛人関係というのは、現実に案外あるのではないかと思われることです。どうでもいいですけどね（笑）。

それから「門番を雇ってしまったので／門を作ることにした」というのも、その間のどたばたが想像できてとても楽しい。詩を書くときの発想というのは、いつもの感じ方や考え方をそのまま書いてもなかなか面白いものにはなりません。そんなときに、この詩のように、あべこべに考えてみると、詩ができ上がるということがよくあります。そういう意味で、この詩は「詩の発想の基本」と言えるかもしれません。逆の方向からものを考えてみるとそのものの本質がよく見える。自分なりのあべこべ詩を書いてみることも勉強になります。

それからこの詩でもう一か所ぐっとくるのが「悲しんでいるのに悲しいことが起らなかった」のところです。ここは「あべこべ」が起こらなかったということであって、つまりふつうの状態なのですが、ここまでずっとあべこべを読まされているから、「あべこべ」の「あべこべ」がふつうでなく感じられる仕組みになっています。

ここはさらに深く読むと、悲しいことが起こらないということ自体が悲しいことのように思われて、この詩はやっぱりとてもいいなと思うわけです。先ほども言いましたが、詩を読んだときに、無性に詩が書きたくなる詩がたまにありますが、この詩は、そういった詩のひとつです。

自分のなかに太陽を持とう

最後に、寺山さんが最期に書いた詩を読んで終わりにします。

☆

懐かしのわが家

昭和十年十二月十日に

ぼくは不完全な死体として生まれ
何十年かかゝって
完全な死体となるのである
そのときが来たら
ぼくは思いあたるだろう
青森市浦町字橋本の
小さな陽あたりのいゝ家の庭で
外に向って育ちすぎた桜の木が
内部から成長をはじめるときが来たことを

子供の頃、ぼくは
汽車の口真似が上手かった
ぼくは
世界の涯てが
自分自身の夢のなかにしかないことを
知っていたのだ

（「朝日新聞」一九八二年九月）

「現代詩文庫」のなかで、この詩は「遺稿」となっています。「不完全な死体」として生まれてきたという感覚は、単に逆説として書いたのではなくて、寿命を持って生まれてきた幸と不幸をしっかり詩のなかに含ませているということです。また、「世界の涯てが／自分自身の夢のなかにしかない」は、いかにも寺山さんらしいのですが、というのも、さまざまなさわやかな世界や物語を描いてきた寺山さんの根源には、限りある命のはかなさがあったことがわかるのです。

それとともに、この詩で注目したいのは「外に向って育ちすぎた桜の木が／内部から成長をはじめるときが来た」と書いていることです。ここは自分の生まれた頃のことを言っているのかもしれないけど、いったい、幸せじゃなかった人間が、死に向かう時期に、「成長をはじめるときが来た」なんて書くでしょうか。そんなことはないとぼくは思うのです。もちろん寺山さんが詩人として幸せだったかどうかはわからないけれども、この「懐かしのわが家」を読むと、死ぬときまで「成長を」と書いているのだから、充分に幸せな生涯だったのではないかと勝手に想像することができます。

今日は、詩を書く人は幸せなのかという話をしました。すぐれた詩を書いたにせよ、それなりの詩を書いたにせよ、詩を書く喜びに触れるという意味では、みんな同じ幸せを味わっているし、誰もが自分のなかに太陽を持てるんだよという話でした。

2020.9.19　Zoom

よいものを見つめてゆく　中原中也の詩

詩作の二つのステップ

今日の話の前にさっき考えたことを話します。

たとえば詩に書きたいことがあって、これはすごい詩になるぞと思って必死に詩を書こうとしているときがある。書いているあいだはすごく興奮して、でも詩ができ上がって読んでみるとなんか空回りしている。詩を完成するためには二つのステップがあって、ひとつ目は、ああこれは書ける、これを書きたいという欲求段階。志の段階、魂の段階と言ってもいい。それから二つ目は、詩になるなという感覚を実際に言葉に変換してゆく段階。これは言葉の処理の段階。手さばきの段階とも言える。

いくら書きたいことがあって、自分のなかだけで轟音が響き渡っていても、それを的確に言葉にしなければその迫力は人には聞こえてこない。つまり、詩を学ぶというのは、その二つの段階を学ぶことです。これは書けそうという魂の段階では高揚しているけど、次の段階でうまくいかず、でき上がった詩は勢いがないときはどうしたらいいんだろう。

長い時間努力をしたあげく空回りした詩を書いたあと、おまけのように二番目の詩がひょいとできることがある。最初の詩を作ろうと思っていて、うまくできなかった頭でちょっと別のことを書いてみたっていう、力の入っていない詩。そういう詩が案外、素直に思いを表していて読者にしっかり届くことがある。

力を込めて書いたのにうまくいかないときは、その日はいったんその詩をあきらめて、その頭のまま別の詩を書いてみる。そうやって二つ詩を書いたときは、二番目の詩を大切にしてみよう。力を入れていないほうの詩から学ぶことがあります。すごいものを書こうと思ってすごい詩が書けたためしはない。単にまっすぐ書いてみた、そういうものが大切な詩になりうる。

詩になってしまう

さて、これからが今日の話です。今日は「よいものを見つめてゆく」という題です。このところ萩原朔太郎や中原中也についての評論を何冊か続けて読んでいます。そのときに感じたことを三つほど話そうと思います。

面白いと思ったのが朔太郎の評論のほうで、ある一時期の朔太郎の作品を、散文詩と考えればいいのか評論と考えればいいのか評者が迷っているという箇所があった。確かに読むと、評論としても詩としても読める。区別をしようとしても境目が見えないということがある。朔太郎自身は、それらの作品を評論として書いているつもりだったんじゃないかと思う。でも書かれたものが詩のほうへ勝手に足を踏み出してしまう。

詩人って、さて詩を書くぞと思って詩を書くのではなく、何を考えてもそれが詩になってしまう人、そういう人のことを言うのではないだろうか。中原中也も、人生そのものが詩だったとか本人が詩のようだったって言われている。この教室でめざすのは、すぐれた詩を書こうとするだけではなくて、みんなが詩になってしまうこと。何を考えても詩になってしまうこと。いやになるほど詩がまとわりついてくること。ただ呼吸をするだけで詩ができ上がってしまう、そういう人になってほしい。

引用された詩の魅力

二つ目。読んでいると、詩人論だから当然、作品の引用がたくさん出てきます。評論に引用された詩作品の断片ってすごく素敵に見える。ことという箇所が引用されているから、格言や名言みたいでぼろが見えない。書いてあること以上によく見える。

ドラマとかでキルケゴールの言葉がちょっと出てきたりすると、すごい、生きていることの意味がわかっていると思って、キルケゴールの本を買ってきても、本になると敷居が高くてなかなか読み出せない。引用された詩にもそういうところがあって、引用された詩を詩集のなか、つまり本来あるべきところであらためて読むとさほど感動をしなかったりする。

あるいは、引用された詩が素敵に見えるのは、ふつうの詩人の場合だろうと思う。朔太郎とか中也って特別な詩人だし、たいていの人がさんざん読んできているから引用された詩が特段目立つことはないのではないかと思って読むと、同じように見知らぬ詩人の詩を読んだときのように感動してしまう。「竹が生えそめ」にしても「ゆあーんゆよーん」にしても相変わらずうっとりしてしまう。

そんなとき、詩を読むってなんなんだろうと考える。本来ある状態よりもそこから切り離して別の場所に置いた詩の数行のほうが光って見える。それってどういう仕組みなんだろう。それがわかれば、自分がいま書いている詩もさらに磨き上げられるのではないかと考える。かといって詩を書く人って格言／アフォリズムだけでは満足できない。引用を読んだだけで詩を読んだとは言えない気持ちも確かにある。

いいとこどり

三つ目。さっき言った、引用された詩に感動するというのとは正反対の場合もある。読んでも何も感じない。そういうのが朔太郎にも中也にもある。それがちょっと驚きだった。ぼくが読んでいたのは評論集だから、朔太郎の詩と言っても全盛期だけではなくて、初期の作品や晩年の作品、あるいは迷走していた時期の作品も引用されている。詩人の一時期だけについて書くわけにはいかないというのもわかるけど、そうなのかなという思いもないわけではない。

ひとりの詩人のつまらない詩をわざわざ引っ張り出してくることになんの意味があるんだろう。ぼくは研究者ではなくて単なる詩人だからどうしてもそう思ってしまう。中也にもつまらない詩がある。でも時折に目の前に出てくる決めゼリフに完全にやられてしまう。泣かせどころと言ってもいい。そういうのが中也にはたくさんあって、それでいいじゃないかと思ってしまう。

☆

中也の詩 から

愛するものが死んだ時には、
自殺しなけあなりません。
（「春日狂想」）

手にてなす　なにごともなし。
（「朝の歌」）

はては世の中が偶然ばかりとみえてきて、
人はただ、絶えず慄へる、木の葉のやうに
（「倦怠」）

ゆふがた、空の下で、身一点に感じられれば、万事に於て文句はないのだ。（「いのちの声」）

ああ神よ、私が先づ、自分自身であれるやう　（「寒い夜の自画像3」）

——失はれたものはかへつて来ない。

なにが悲しいつたつてこれほど悲しいことはない　（「黄昏」）

ではみなさん、
喜び過ぎず悲しみ過ぎず、
テムポ正しく、握手をしませう。　（「春日狂想」）

あゝ　おまへはなにをして来たのだと……
吹き来る風が私に云ふ　（「帰郷」）

わが心　なにゆゑに　なにゆゑにかくは羞ぢらふ……　（「含羞《はぢらひ》」）

あれはとほいい処にあるのだけれど
おれは此処《ここ》で待つてゐなくてはならない
（「言葉なき歌」）

あんまりこんなにこひしゆては
なんだか自信が持てないよ
（「頑是ない歌」）

汚れつちまつた悲しみに
今日も小雪の降りかかる
（「汚れつちまつた悲しみに」）

こうして見てみると、中原中也って無防備な詩人だなって感じる。ごくふつうの感情をそのまま前面に出して詩を書いている。そんなことをして大丈夫だろうか、他の詩人に馬鹿にされるんじゃないかと勝手に心配になってしまう。でもたぶん中也はそんなことはどうでもよかった。自分が書きたいことを書きたいように書く。人に責められようと弱みを見せることになろうと書きたいように書く。このことは詩を書く者として肝に銘じておきたい。

詩を書いているとどうしてもまわりの状況とか、こうあるべきだとか、こうしたほうが気に入られるのではないかとか、いまさらこんなものとか思ってしまうけど、せめて詩を書くときくらい思いどおりに書きなさいと中也は言っているような気がする。

弱みってなんだろう。情けなさってなんだろう。そこにこそ自分があるのではないか。だとしたら、それを書いていく以外にない。これまでの日本の詩を分析して、その総まとめとしての詩をぼくらは書いているのではない。ここにあるちっぽけな心をひとつ差し出す。それでいいのではないかと思うんです。

ぼくが中原中也に惹かれるのは、もちろん作品のすばらしさによるわけだけど、その生き方にもある。「四季」とか「歴程」の同人だし、確かに「文學界」から注目されて、当時から有名な詩人だったけど、基本は一人で書いていた。詩壇から遠く、一人で純粋に詩に取り組む姿が思い浮かぶし、それがいいなと思うわけです。詩を書くのに、自分と詩とそれ以外に何もいらないんじゃないのっていう感じ。そういうところにも惹かれる。

そして中也の詩って、つまらないのもたくさんある。他の人は知らないけど、ぼくにとっての中也は、中也の全作品ではなくて一部分なんです。ぼくは読者として、一人の詩人の全作品と立ち向かっているのではなくて、その詩人の一部を享受し尊崇している。それで十分。いいとこどり。それが読者の権利であり、幸福でもある。どんなにすごい詩人も目も当てられないような、どうしようもない詩も書く。そういうのをわざわざあげつらうことはしない。一人の詩人を理解するためには全作品を受け止める必要はなくて、感銘を受けた詩集のとりわけすばらしい詩だけを繰り返し読んでいていい。

朔太郎や中也はすばらしいけど、こんなにつまらない詩も書くじゃないかと偉そうに暴くことが詩を読む行為ではない。その詩人のすぐれたところが見えていればいい。欠けたところなんて誰にでもあるんだから、そんなところに目を向けなくてもいい。

いいところを見つめる

そういう感じ方や読み方ってぼくのなかにずっとある。それは有名な詩人の詩を読むときだけではなくて、この教室でもそう。参加者の詩の欠けたところやつまらないところをあげつらうよりも、この詩はすばらしい、あるいはこの詩のここの部分はすごい、あるいは、いまははっきりとは言い表せないけど、この詩のどこかにすぐれた要素がある感じがする、あるいはこれから面白くなりそうな予感がする、そういった観点からいいところを中心に見ていきたい、読んでいきたいと思う。

もちろんここは直したほうが将来その人のためだと思えば指摘はするけど、基本はそれぞれの人が持っている個性の魅力を見つめて引き出していきたいと思っている。朔太郎や中也も、どんな詩人も完璧ではない。どんな詩も完璧にはなりえない。

ただでさえ大変な日々に詩のだめなところを見つめてがっかりしたり、うじうじ考えているよりも、すぐれたところを見逃さずにそこに焦点を当てたい。人の詩を読むときに、その詩のどこが輝いているかに目を凝らす。その輝きの反射として自分の詩を伸ばす。これがぼくの詩の読み方。人の詩のつまらないところを見つめるよりもすぐれたところに目を凝らしていたい。

そこから役立つものをぼくも吸収したい。人の詩のどこがどんなふうに素敵なのかを見つけて、
それを言葉で表現するっていうのもひとつの大切な詩の訓練だと思う。詩を読むときにはその
詩のどこがすぐれていて、そのすぐれたところをどうやって人に説明できるかを考えてみよう。
いいところを見つめるそのための目でありたい、ということです。

2019.6.2　横浜

Ⅲ　詩の話をしよう 2

詩は西からやってくる　大野新の詩

今日は大野新の話をしようと思います。

大野さんは関西の詩人です。関西、関東と区別する必要もないと思うけど、関西の詩人、あるいは関西出身の詩人にぼくの敬愛している人が多い。何か理由がありそうだけど、はっきりとは言えない。

大野新の詩から、おもに詩にとっての一行と一篇のその関係性について、詩を受け止めるということは一行の積み重ねによるものなのか、それとも一篇まるごとなのか。そんなことにも触れたいと思います。それから暗喩の力、効果も見ていきます。

喜びは手元にある

まずは、先日「この道」という映画を観に行きました。北原白秋と山田耕筰を描いた映画です。平日の昼間で、観ていたのは十人ほど。小さな劇場だったけど、それでもがらがらでした。

映画の内容はまあ想定内というか、それほどの驚きはなかったんですけど、でもちょっと面白いエピソードがあった。

当時、文芸雑誌は文壇の番付を載せていた。番付というよりも人気投票かな。詩の分野では蒲原有明や石川啄木をおさえて北原白秋がダントツの一位でね。でもその雑誌というのが、じつは北原白秋の思いどおりになる雑誌で、自分で勝手に得票数を水増ししている。二位以下は三千票くらいなのに、白秋だけは一万票を超えている。白秋としては、自分が日本の詩の世界を引っ張っているのだから、そうするのが当たり前、ならば勢いをつけて一万票くらいは欲しいということで勝手な理由をつけて得票数を増やしている。映画の内容がどこまでホントかわからないけど、昔だから、なんかありそうだなと思って観ていた。当時の文学青年なんかは、そんな裏事情を知らないから純粋な気持ちで憧れていたと思う。

これはどうでもいい話だけど、詩の世界って、どちらかと言うとそういう競争や名誉や人気からは離れたジャンルだと思う。詩の世界で有名になったところで何か特別なことがあるわけでも収入が増えるわけでもない、だからさっぱりしていていいとぼくなんか思うわけ。他の世界に比べて権威をひけらかしたり、威張っている人は少ない。比較的清潔な人たちの集まりだと思う。でも権威から遠い集まりだからこそ、そのなかで抜きん出たいという気持ちを持つ人はいるし、それも人の集まりだから仕方がない。

もちろん詩をしっかり書くのが目標だけど、だからって有名になりたいという気持ちを無理におさえつける必要もない。そういう気持ちが創作意欲を活気づけてくれるなら、別に何を願ったってかまわない。会社でも同じで、同じ能力の人が二人がいたら出世したいという気持ちのつよい人が先に出世する。

ただ、言うまでもないことだけど、人に迷惑をかけたり、あまりにも自分が自分がというのはまずい。やっぱり何のために詩を書いているかというところに立ち戻ったほうがいい。他の人のすぐれた詩に感動できる姿勢を失わないようにこころがける。そうすれば自分を見失うことはないと思う。

いつも言うことだけど、詩に関わっていて一番大切なのは詩を書き上げたときの喜び、ものを作るときの興奮だということ。喜びは手元にある。作品ができ上がってからのことはそれほど問題じゃない。人って簡単に自分を見失うから、そのことを忘れないでやっていかないと、なぜ詩を書いているかの根本のところを見失うことになる。

詩の背骨

ぼくは、日本の詩の背骨は、谷川俊太郎と清水哲男と辻征夫にあると思っている。自分が書ける詩はひとつでも、読み手としてはできるだけ広くすぐれた詩に接していたいし、いろんな詩を受け止めたい。それでも自分のなかに、詩はこうありたい、ここを受け継いでいってもらいたいという、時代や状況を超えた本質がある。多様性のなかの核。揺るぎない魅力。その本質を書いているのがこの三人なのかなとぼくは感じる。

もちろん詩にはいろいろある。内容も自由だし、書き方も人それぞれ。みんなが谷川さんや清水さんのような詩を書くべきだとは思わない。清水さんの詩は、谷川さんと辻さんとはちょっと違う。谷川さんと辻さんの詩は、色のついていない言葉でできている、言葉自体には細工をしていない。でも清水さんの詩は、言い方が難しいけど、言葉そのものを独自なものに作り上げている。淡い色のついた、特殊な立ち姿をしている。そんな感じがする。

京都と滋賀

もちろん詩人の個性の違いによるところが大きいけど、それだけではなくて、東京の文化圏から出てきた、色のついていない詩人（内面の東京語と言えばいいか）と、京都で書き始めた、淡い色のついた詩人（内面の地方語）の違いかなと思う。というのも、京都で詩を書いていた人が何人かいて、その人たちの詩は清水さんの詩に通じるものを持っている。京都独特の詩という感じがする。言葉の立ち振る舞い。背筋の伸び方。なよなよしていない。そういう共通項のある詩人が何人かいて、日本の現代詩のなかに大切なものを作り上げた。大野新もそのうちの一人だった。というよりも大野さんはその共通項の源だったような気がする。

その京都から生まれた詩について書かれた正津勉さんの文章を紹介します。ぼくの言っていることが少しわかってもらえるかと思います。

☆

「かつて京都の街にひとつの小さな印刷屋があった、（中略）その名は双林プリント（現・文童社）。その町工場のおやじが山前實治、そこの印刷工のひとり、ながい闘病生活の果ての死にぞこないの大野新。（中略）端的にいえば、これが京都詩壇のはじまりであり終りである。この物語をぬきにして京都詩壇はかんがえられないのではないか。（中略）双林プリントは京都における詩的戦略の要衝であり、そこに大野新という参謀がいた、そして、いる。この小さな要衝こそ、詩と詩人たちの縁の糸の結び目であり、交友形成の場であったのだ。」（角田清文「拠点としての双林プリント」『相対死の詩法』一九八三年、書肆季節社）

大野新、（中略）たちまちその詩と人となりに惹き付けられてゆくのだ。大野は、なるほどわたしらの「参謀」にふさわしくあった。これより昶とこの大野、（中略）清水哲男（一九三八年〜）、これらの先達を導き手として、わたしはおずおずと詩の世界に入ってゆくのである。（中略）どういったらいいか、そこには閉鎖京都系とでもいうほかない、なんともちょっと、あらわしようのない詩的交友圏があった、ということである。もっといってよければ、どこかでその詩の考え方もがんとして、ゆずらないようなところが。（中略）

たとえばさきの第一線の誰彼に熱くなる。そのいっぽうで大野や交友圏の作にふれる。それはどういうか同じ詩であるにはあるのだが、（中略）どこがどうとはなく違う別のもののようだった。

（正津勉『京都詩人傳』アーツアンドクラフツ、二〇一九年より）

清水哲男の詩を読んでいると、いつも頭にちらつく人がいる。清水さんの詩の向こうの、こつこつと書いている人。暗喩を自在に使いこなす人。京都の詩人の奥底というか、根元のように感じる人。正津さんの言葉を借りれば「がんとして、ゆずらないような」詩人。東京にたくさんの詩人が現れても、揺るぎなく詩を確立して書いている人が京都と滋賀にいた。それが大野新でした。

マイナーポエットという言葉がある。そもそも、詩自体がマイナーなジャンルなのに、そのなかでのマイナーポエットというのはどういう人のことなんだろう。ジャンルとしてのマイナーと、そのなかでのマイナーと二重のマイナーに包まれている。白秋は自分がマイナーでありたいなんて思いもしなかっただろうと思う。マイナーポエットとされる詩人は、かりに詩壇の人気投票があったとしても、決して上位になんかランクされることはない。でも、作り上げている詩は一級品。わかる人にはわかる。知っている人は知っている。そういう詩人がいる。大野新は、白秋みたいに詩の世界を大手を振って歩こうなんて思ってもいなかったはず。結局、現実にはマイナーでは終わらなかったけど、自分ではマイナーポエットだと思っていた。

東京はいつも多様で、渾沌としている。読み手もそのなかからすぐれた詩人を自分で探さなければならない。でも七〇年代の京都／滋賀は、大野新や清水哲男の作品によって詩とはこのようなものだという姿が明確に示されていて、それについていけば間違いがないというところがあった。言い方を変えれば、いまの現代詩が持っている多様さゆえに中心が曖昧という病いから自由でいられたのが当時の京都／滋賀詩壇だったのかもしれない。

大野新との出会い

ぼくが初めて大野新を知ったのは、一九七八年のこと。なぜ年度まで覚えているかというと、一九七七年に出た大野さんの詩集『家』を読んだから。なぜ読んだかと言うと、この詩集がこの年にH氏賞をとったから。H氏賞をとった詩集を全部読んでいたわけではないのに、では、なぜこの年は読んだかというと、ぼくの最初の詩集もその年の候補の一冊に入っていたから。当時はH氏賞の特集号を「詩学」が出していて、ぼくのところにも送られてきた。ぼくは落ちたけど、受賞作はどんな詩だろうと思って読んだ。詩集からの数篇が載っていて、正直、読んで圧倒された。こんな詩人がいたんだって思った。言葉の端々から詩情がにじみ出ていて、どんな言葉もおろそかに使われてない。どの単語も震えて、重いものを背負って泣いているように見えた。こんなすごい詩集にぼくの詩がかなうわけがない。

大野新については、現代詩文庫や全詩集が出ているから、いまでは容易に手に入る。もっと簡単に知りたければ、ネットで検索すればかなりのことがわかる。とくに苗村吉昭さんが「交野が原」という同人誌に十回にわたって連載していた「大野新ノート」がネットにあがっているので、ぜひ読んでください。すぐれた文章だし、苗村さんの思いの丈がつまっています。

経歴をざっと見てみると、大野さんは一九二八年に韓国で生まれて、二〇一〇年に亡くなっている。敗戦で滋賀県に引き揚げて肺結核のために京大法学部を中退。療養中から詩作を始めて、一九六二年、同人誌「ノッポとチビ」を清水哲男、有馬敲らと創刊した。ここで清水さんと出会って、石原吉郎、天野忠らとも交流している。詩集『階段』『藁のひかり』『大野新詩集』を刊行。その後、『家』でH氏賞を受賞。一九九三年に最後の詩集『乾季のおわり』を出している。詩集ではないけど、大野さんが最後に出した本は『人間慕情——滋賀の百人』という本で、これも苗村さんの文章で知ったことだけど、滋賀県の百人の人と大野さんが対談してまとめたもの。その第一回目のゲストが藤本直規さんというお医者さんで、この人も詩人です。ちょうど『別れの準備』という詩集でH氏賞を受賞したところだった。この詩集の推薦文を書いているのが大野さんで、この年、ぼくはH氏賞の選考委員の一人だったという、ちょっとした因縁話があります。

部分の鮮やかなイメージ

今日も何篇か読んでみます。これはすべて『家』から。

ふつう詩人って、書き始めの頃が一番輝いていて、なんだかんだ言っても第一詩集がすぐれているということが多いけど、ぼくにとって大野新はそうではない。もちろん初期の詩もいいけど、それ以上にこの『家』の詩がすごい。それは、ぼくが大野さんの詩に出会った最初の詩集だから思い入れが深くてそう感じるのかもしれない。だとしても、ずっと書き続けてきた詩人が、そのレベルを落とさずに、それ以上のものを書けるって半端じゃない。

☆

母

指の爪に
のぼる白い月をみに
死んだ母がはいってくる
そして私のいっぽんの指がひかるのだ
指を垂直にたてて
深夜
梁をあげたばかりの
建てかけの家を
くぐってあるく
母よ

いまは
干潟だ
水もしろい烏賊もひいて
遠い月のものだ
あの月のさらにかすかな反照として
透いた家のなかに
あなたと私が
います

（『家』永井出版企画、一九七七年）

大野さんの詩のすごいのは、部分が全体を覆っているということ。全体で何を言うか、あらかじめ決めているようには見えなくて、部分の鮮やかなイメージが全体を決めてくれる。この詩では、最初の「指の爪に／のぼる白い月」だけで、ぼくはもうやられてしまう。頭のなかに、指が一本すっくと立っていて、その爪にそって月がのぼってゆくイメージが広がります。その指は、月の光に照らされて光っている。指の向こうには、建てかけの家の柱が指と同じように垂直に立っている。

家を建てるというのは、家族をそこに住まわせてしっかりと結びつけること。その家族の中心には母親がいる。ただこの家はまだ建てかけの、透きとおった家であって確固とした家族ができ上がっているわけではない。風の通る梁だけの建物のなかにあって、何かに守られているわけではなくて、干潟に放り出されて寒そうに立ちつくしている。母親と私は家族でありながら、その二人が作り上げたものは、いまだ作りかけの家であり、不安定な家族である。説明をしてしまえば、なんだそんなことかって言われてしまうかもしれないけど、それでもぼくはその図柄に唖然としてしまう。それが詩に感動をするということだと思う。

この「指の爪に／のぼる白い月」というのは、大野さん自身の解説によると、大野さんの指の爪にある半月形を母親が見ていて、病いの息子の体の状態を爪で判断して心配をしているということらしい。つまり月というのは空にある月ではなくて、爪のなかの半月形のこと。でも、解説は解説であって、この詩を読むとぼくは、月を月として読んでしまう。作者の意図とは別に詩の感動ができ上がる。あるいは、大野さんはそういうこともあらかじめわかって書いているのかもしれない。

建てかけの家や干潟は、それで何かを暗示するわけじゃない。母親が出てくるけど、別に親子の愛情が直接語られているわけでもなく、母親の老いを思いやっているようにも読めない。家族が、建物の梁のように無機質に描かれている。すべては詩的風景で、その風景の選び方そのものが、詩の言おうとしていることで、大野さんは手を差し伸べるようにして書きたいことを現している。

大野さんの解説では、この詩は亡くなった母親に対するセンチメンタルな感情を歌っている。

家のなかにいるのに悲しくて仕方がない。まるで干潟に立ちつくしているようだという詩であるらしい。でも、ここも爪にのぼる月と同じで、この解説と、詩を読む者が受け取るものとはちょっと違っていて、そういった湿った感情を排除しているように読める。言葉があくまでも言葉として自立していて、そのおおもとの感情にもたれかかっていないように読める。

思いや出来事をそのまま作品にするのではなく、それを抽象化して、必要なところだけ、骨組みだけを残して作品にする。そうすることで、もともと抱いている情感とは別の、さらに洗練された、あるいは自分だけでなく、人と共有できるものになる。それが詩だという自信が詩行にみなぎっているし、読んでいるとまったくそのとおりだと頷いてしまう。

いろんな詩人がいるけど、比喩の使い方で詩は二つの種類に分けられる。ひとつは、書こうとする内容を言葉の従来の意味そのもので作る人。そういう人は比喩をあまり使わないか、あるいは直喩を使う。もう一方は、書こうとする内容をいったんばらばらにしてその一部を言葉に結びつけて、それを詩に作り上げる人がいる。この「結びつける」という段階に暗喩が入ってくる。大野さんは明らかに後者。この創作過程が京都／滋賀詩壇に共有されていると言えるかもしれない。

条件抜きの死を書く

『家』では、死が重要なテーマなんだけど、初期の詩集には、もっと直接的に死が語られている。あっちにもこっちにも死という言葉が転がっている。大野さんは若い頃に結核にかかって死と隣り合わせに生きていた。外地から帰ってきた経験も死への傾きに関係していたと思う。その後、息子さんを交通事故で突然亡くされた経験もあって、晩年も死から逃れられなかった。いつも死の隣りにあって、詩を書くときにいやおうなくそのことがテーマになったのだろうと思う。とは言うものの、ぼくのこういう考え方は表面的で誰でも考える道筋で、本当にそうだろうかという気持ちが湧く。

ここで参考に「死について」という大野さんの文章を読んでみたいと思います。

☆

死について

死について語ることほど至難にみえて、その実安逸な精神はない。この頃、私はそう思うようになった。私自身から死の直接的な匂いがうすれてきたせいだろうか。

(中略)死んでいく人は、石ころのように遠ざかるだけだ。残された者は厖大な記憶が記憶として固定されてしまったことに気づき、あわてて生者の目として記憶を再編成するのである。

「死とはなんだろう」という問は、もう私にはない。傲慢からではない。今の私は、もっと単純に生のなかにまぎれている。

（『藁のひかり』文童社、一九六五年）

この文章でぼくが興味を引かれたのは「死について語ることほど至難にみえて、その実安逸な精神はない」のところ。大野さんは、自分は死と隣り合わせに生きていたから死のなんたるかがわかっている、ゆえに死の恐ろしさを詩に書いているんだと言っているのではなくて「安逸な精神」と言っている。なるほどと思う。

だってぼくたちは、死んだことのない人たちだけの世界にいるわけで、つまり「死とは何か」、深刻さも重要さも、誰にもわかるわけがない。何を言っても正解も不正解もない、無責任な言葉。さっきぼくが言った、大野さんはその生い立ちや人生が死と近かったからというのも、あまりに安直な結びつけだろうと思う。病気でもなく、かりに安全な場所でのほほんと育って生きていたとしても大野さんは死について書いただろう。つまり、条件抜きの死なのだろうと思う。

死ということでぼくが思い出すのは、ぼくの父親のこと。胃癌が他の臓器にも転移して、もう二十年以上前に亡くなったけど、頭は最期までしっかりしていた。覚えているのは、亡くなる直前にお見舞いに行ったときに、滅多に口を利かない親父が珍しくぼくに話をした。「イクオ、おれは死にたくねーよ」、そのひと言だけを言った。短い言葉だったけど、その声がぼくのなかに消えずにずっとある。

あまりにもわかりやすい言葉だけど、そうなんだな、生きている人間が死について言える言葉はそれ以外にないだろうと思った。正直に言葉を言うことのすごさ、恐ろしさ。ぼくも、親父と同じように大切な人に「じつは死にたくない」と言ったあとで死にたい。そう思う。ぼくも死についてたくさん詩を書いてきたけど、結局死について、ぼくがわかっているのはそれだけ。他は何もわからない。

納得のいく一行を求めていく

では気分を変えてもう一篇。これも詩集『家』から。

☆

地霊

家をこぼつと
釘のついた松材や
蛇口ごとほりだされた水道管が
しゃにむに私のうでのなかに乱入してきて
うけそこねては

額に穴をあける
雨期と乾期のさかいめで
この家が建つまえの蛍の原
ひかりをまとって死んだ老女の遺相が
反ったり沈んだりする
井戸のそこまで
私は廃材をすてにゆき
青白い反射をうけては戻ってくる

虫くいだらけの乳歯の子と
玄米主義者の父とが
地霊のまわりをあるいている

先ほどの詩は家を建てる途中で、こちらは家を壊すときの詩。ここに出てくる老女というのは母親のことかな。「ひかりをまとって死んだ老女」とある。鮮やかな一行だ。内容や詩の雰囲気はさっきの詩と同じで、家族と、家という建物の持つ意味合いと、親の老いや死から免れないという無常観。ざっくり言えばそんなことが書かれていると思うけど、ぼくがこの詩に感動するのはそういうテーマをうまく言葉で表現しているからというだけではない。むしろ「水道管が／しゃにむに私のうでのなかに乱入してきて」のところの視覚的なイメージ。それが、この詩に打たれるポイントなわけ。詩の行がそれこそぼくの感性に乱入してくる。すごい詩だなと、この詩を読んでいると思う。

正津さんのエッセイを引用して京都詩壇について紹介したけど、この感動って、清水哲男の詩に感動するときに似ている。詩全体、というよりもその一部に完全にやられてしまう。その一行が、それだけでもう詩を成り立たせてしまう。もっと言うなら、たった一行が詩人の生涯の仕事を成り立たせてしまう。それこそが詩そのものだということを、ぼくは当時の京都／滋賀詩壇から学んだ。その京都／滋賀詩壇の詩は、いまの日本の詩の背骨になりえているんだと思う。

その一行を広げたり伸ばしたりして、それなりの長さの詩にするなんてくだらない。詩を書こうとするなら、それなりの長さの詩を書こうなんてことはしない。ひたすら納得のいく一行を求めていく。すごい一行が書ければ、もうそれでいい。生まれてきた甲斐があったと思う。心に乱入する一行があっての詩なのだと思う。その一行を際立たせる一篇で、詩はありたい。

今日の話の最初に出てきた北原白秋はまぎれもなく詩人。大野新も、間違いなく詩人。詩壇の明るい大通りを大手を振って生きていた詩人と、地方のひとつの雑誌で地道に活動していた詩人と、一見違う生き方をしているように見えるけど、ぼくにとっては二人とも同じ。どのくらい有名かとかは問題じゃない。詩人の人気投票に興味はない。詩人が信じられるのは、詩そのもの。詩人の思いを受け止めるのは、自分が書き上げた詩だけだと思う。

最後に、大野新のひと言を引いて終わりたいと思います。青木はるみさんも、大野さんについての文章のなかで最後にこの言葉を引いていました。

「詩人は本来、表現者です。ナンセンスでない詩を書いていきたい」

ぼくもそうありたいと思います。

2019.2.3　横浜

直接詩人と間接詩人　山内清の詩

人の気持ちの痛みに気づく

　平成三十一年になって、今年が平成最後だとか、新しい元号はいつ発表されるとかテレビでも新聞でも大騒ぎです。ぼくなんか西暦があればそれでいいじゃないか、わざわざ元号なんかつけるから西暦何年が平成何年とか昭和何年とか覚えなきゃならなくて面倒なんだと思うけど、どうしていつまでも元号にこだわるんだろう。もうひとつ気になるのが「昭和」と言うときのアクセント。昭和のあいだはショーワっていうふうに強弱なしに発音していたと思うけど、最近、「ショー」にアクセントを置いて発音するのを聞くことがある。あれってどこか昭和を揶揄しているように聞こえてしまうのはぼくだけだろうか。まあどうでもいい話だけど。

　昭和と言えば、銭湯を舞台にした「時間ですよ」というテレビドラマをＢＳで毎日放映していて、たまに妻と一緒に観る。女性の胸を映したり、いかがなものかと思うところもあるけど、すごいなと感じるところもあって、向田邦子が脚本を担当している回はとくにそう感じる。いまさらぼくが向田邦子のすごさを話しても仕方がないけど、詩を書くことに通じるものがあると思うので、ちょっと話します。

ドラマのなかで、悠木千帆（樹木希林）と堺正章がよくコントをやっていて、そのコントにはいくつかのパターンがある。そのひとつがさえない中年女性であるところのハマさん（悠木千帆）を、いまを生き生きと生きている若者であるところの堺正章がからかったりいじめたりするというもの。それは、とくに取り柄のない中年の女性の希望のない生き方をあげつらうものなんです。もちろん笑いを誘うためにやっているんだけど、観ているほうも笑いながらどこか後ろめたく感じているし、笑われているハマさんは、それを観て笑っている視聴者自身のことでもあるから、余計に泣き笑いのようになる。

というのも、テレビを観ているのは、地道に生きていて小さなことに自分なりに喜んだり悲しんだりして、誰に何をほめられるわけでもなく生きている人々。そういうとりわけ美人でもない、スタイルがいいわけでもない、きれいな服を着ているわけでもない、家柄がいいわけでもない、センスがいいわけでもない、頭がきれるわけでもない、何ができるわけでもない、そういう状態を受け止めながら、悩みながら生きている姿を悠木千帆は演じていて、そういう女性をこれでもかというほどいじめて笑いものにする。その残酷さって目を背けたくなるほどのときがある。そういう何者でもないものの悔しさとか、そういう人に残酷になる人間の怖さを向田邦子はあからさまに書く。

主人公は別にいて、もちろんメインの役者である森光子や船越英二の演技もすごいんだけど、その脇にいる人の、心の痛みや鈍感さをすごく上手に描いている。向田邦子と悠木千帆の組み合わせって奇跡のようだなって思いながら観ている。

無理に話をこじつけるつもりはないけど、詩も同じだと思うわけ。目に見えやすいものごとを、その正面から当たり前に書いているだけでは真実には近づけない。むしろ、つい見落としてしまうもの、気がつかずに傷つけてしまっているもの、気にもとめなくて無視をしているんだけど無視されているほうはつらい思いをしているのにそれに気づかないもの。そういう一見なんでもないもののなかにしか見えないもの、ささやかな機微、悔しさ、あきらめ、そういうのが見えてこなければ表現が薄っぺらになる。

人が見つめるものを、あとからそのそばに行って一緒に見つめるのが創作ではない。見えていてもそうと意識しなければ、振り返ろうとしなければ見えてこないもの。脇に追いやられているものをしっかり見つめることが大切なんだと思う。当たり前のことだけど、人の気持ちの痛みに気づこうということ。そのまなざしが詩を一段上に持っていってくれる。

書く喜びを大切に

話をちょっと変えてこれは昨年の話。昨年はいろいろありました。いろんなことがあったけど、一番印象に残ったのはスパイラルでの詩の教室のこと（「これから詩を読み、書く人のための詩の教室」七月二十七日－九月二十八日、全四回)。その教室で何回か強調したのは、詩を書いていく上で何が大事かという話。簡単に言うと、詩を書くって手元の作業だよということです。発想を得て、自分にも何かが書けるというわくわくした思いが湧いてきて、それをどんな言葉で表そうかと頭をめぐらせて、さまざまな工夫をしてやっと一篇の詩が生まれる。そこにこそ詩を書く意味がある。

生きていて、やることがたくさんあって、時間もないのに詩なんか書いているのは、その瞬間の充実感があるからです。詩を書いているその自分と詩と二人きりでの作業に没頭する喜びは他の何ものにもかえがたい。それでできた詩がうまかったり、へたくそだったり、ほめられたり、けなされたり、それで賞をとったり、人より秀でたり、名誉を得たり、いばったり、そんなことは詩を書いていること、あるいは自分の表現を見つけたときの手元の喜びに比べたら小さいということ。

それでも、せっかく書くんだから人と分かち合えるものを書きたいと思う、この喜びをわかってもらいたいと思う。それは当然の気持ちであって、だから詩の勉強をするわけだけど、それでも一番大切なところは忘れないようにしたい。手元の喜びを忘れないようにしないと書くものが汚れてくる。ただほめられたくて書くようになる。本当に書きたい方向からずれてくる。書き手自身がしっかり書くものを守ってあげなければいけない。

他人がうらやむような詩人だったら

書く喜びが大切だ、自分の表現を見つけることが大切だっていうことを根幹に置いて書いていても、もちろん現れてくる詩は人によってさまざまです。詩を読んでいると、たまにとんでもなく素敵な詩を書く人に出会いますね。才能のある詩人って確かにいます。この人にはとうていかなわないという詩人。そういう詩人ってすごくうらやましいと思う。それは自然なことです。でも、たとえば自分がもしそういう詩人だったらどうだろうってこのあいだ考えてみた。

自分がもし、他人のうらやむような詩人だったら、どうだろうか。そうすると、もしかしたらそれほどいい気分でもないんじゃないかと思った。かりにそういう詩人になれたとしても気分はいまの自分とそれほど変わらないんじゃないか。

つまり、そういう状態にいたとしても、いまの自分も、なんとかすぐれた詩が書けないかと苦心しているという点で何も変わらないわけ。自分がどの位置にいようとそんなの関係がない。少しでも上に自分の詩を高めてあげようと試みるしかない。才能のある詩人はすぐれた詩をたくさん書いているから才能があると言われているけど、だからっていつもすぐれた詩を書いているわけではない。

ものを作るって、同じ人が同じ素材を使って、同じような発想を得て作っても、すばらしいものができたり、そうでないものができたりする。そういうのってどうしてなんだろうって思うわけ。これって不思議なことですよね。不思議だけど、それがものを作る、詩を作ることの魅力でもある。書けば必ず傑作になってしまうようなら、たぶん書くのに飽きてしまう。それに、そうなるともう傑作ではなくなる。

そうではなくて、やってみなければわからないもの、同じ人が同じ条件でやってみてもうまくいったりいかなかったりするもの。それが詩の素敵なところだと思う。どんなに有名な詩人もその人の手元ではひどいものも書いているだろうし、なんでもっといいものができないのだろうといつも悩んでいる。

失敗作のない詩人はいない

ものを作るって、そういう意味で野球と似ているところがあるなと思う。打者がボールをバットで叩きつけて、でもそれがヒットになるか内野ゴロになるかというのは、真心でボールをとらえたかどうかということだけで決まるわけではない。それだけでは決まらなくて、そこにいろんな他の要素が加わってくる。

その要素って、たとえば、ぼてぼてのゴロなのにグラウンドの状態によってイレギュラーバウンドになってたまたまヒットになったり、守備の位置がいつもと違っていてヒット性の当たりがとられてしまったり、あるいはそのボールの縫い目にピッチャーの指がどれほど触れていたかとか、その日の湿度やボールの飛んだ先の空気の具合やその他もろもろいろんな要素によって結果が左右される。

もっと簡単な例で言うと、遠いところにあるゴミ箱に紙くずを投げてみるようなもの。うまく入ることもあるし、はずれて床に散らばってしまうこともある。すぐれた詩が書けるかどうかの境目も案外それと似たようなものではないかと思う。もちろん入る確率の高い人と低い人がいて、日々狙いを定める必要があるけど、詩も同じ。書いてみなければ傑作になるかどうかはわからない。だから謎めいているし、だから面白いと言える。もちろんインパクトのあるテーマを持っていたりすれば傑作になる可能性はあるけど、それにしたってテーマによって詩の良し悪しが決まるわけでは必ずしもなくて、どんな言葉でそれを詩にするかによって、途中の単語ひとつのはまり具合によって詩の価値が決まったりする。

それまで学んできたものを駆使して、全力を尽くして書いても、書いているときにはそれがすぐれた詩になるかどうかはわからない。書いてみて、あとで読者の目で読み直してみるまでね。才能のある人だって同じ。ともかく書いてみる。書き始めてみなければ、よい詩が書けるかどうかはわからない。書き上がって、ほっとして、そののちに判定が下る。そういう意味では詩を書く人は誰もが平等なんだ。失敗作のない詩人なんていないし、もしそういう人がいたとしても、安定してでき上がってくる作品なんて心を打つものにはならない。もっと曖昧なもの。もっと不安定なもの。そういうものしか人の心を打つものはできない。

作り物というのは作る人の頭脳や意志だけででき上がるものではない。うっとりするような偶然が入りこんで、その偶然が手助けをしてくれるから傑作ができ上がる。だから、何度も言うけど、書いてみなければよい作品ができ上がるかどうかわからない。詩人にできるのは、ひたすら書くこと。よかれと思うものを書くこと。余計な欲を持たずに真に自分が書きたいものを書くことに専念していれば、たまに詩の真実に当たることがある。そういう心構えを持って書いていくしかない。

書き上げた個々の詩がすぐれたものになるかどうかは、極端に言えば自分の努力とは別の次元で決まる。だから書いてみて、それが傑作にならなくても作品を責めない、自分を責めない。だって、自分だけではどうにもならないことが入りこんでいるんだから。ともかくよいと思う方向へ向かって書く。あとは詩の外の何かがその価値を決めてくれる。そういうふうに考えればいい。

自分が心奪われている詩に戻る

でも、その「書いてみなきゃ」のところまでもたどり着かないときもある。つまり傑作でもつまらない詩でもかまわないんだけど、そもそも詩が書けない、何も思いつかないというとき。そういうときもある。

昔の話だけど、ぼくは三十代で詩が書けなくなってしまった。書けなくなったなら書かなければいいじゃないかって思うかもしれない。確かにそうなんだけど、不思議なものでその頃にかぎって原稿依頼が来るようになっていた。ホント皮肉な話だなって思うわけ。思い返せば原稿依頼がそれなりに来ていた時期って、長い生涯のなかで、その二年か三年のあいだだけだったのね。ぼくは、そういう一番大切な時期に詩が書けなくて途方にくれていた。

詩が書けなくて何も思いつかなくて、会社から帰って、でも書かなきゃ明日は〆切だしと思う。その頃、ぼくの机は部屋の壁にくっついていたんだけど、その白い壁をずっとにらみつけていた。思いついたとしてもホントに日常使っている言葉や、ありふれた考え方そのままの目も当てられないものばかり。いま考えればその当時は、余計なことを考えて詩を書こうとしていた。少しほめられて、自分が何ものかであるかのように錯覚をしていた。詩を書く手元の喜びを忘れていたんだと思う。情けない話だけど、そういう状態だったんだ。

ただ壁を見ていても何も進まないから、これまでどんな詩を書いてきたのかと自分の詩集を開いて読んでみたりする。そうすると、こんな詩はとても書けないと思い始めて、さらに追いつめられる。書けないときって、自分がかつて書いた詩を読んだりして書き方を思い出そうとしたりするけど、そういうのってなかなかうまくいかない。自分の背中を自分で押してあげられないことがわかる。かつての自分をまぶしく感じ始めたらおしまい。いまここにいる自分が、いまの頭で詩を書くしかない。

詩を書けるようになるためにはどうしたらいいか。それは、自分が心を奪われている詩に戻るしかない。どんな詩のどんなところに心を奪われたのかを思い出す。自分を詩に向かわせてくれたものに戻る。それしかないと思うんです。

苦しいときに出会った詩人

いま思い返すと、詩が書けないときにいつも帰る場所がひとつあって、ぼくにとってそれは「山内清」という詩人だった。山内清の詩集を開いて、なんとかこの詩のようなものが自分にも書けないかという思いで読んだ。山内清の詩を読んでいると、その向こうに必死になって詩に向かっていた若い頃の自分の姿を思い出す。そういう意味で個人的には苦しい詩でもあります。でも、読んでみればわかるけど、山内清の詩って、まさに詩そのものと言える。読んでみましょうか。

☆

木になるたのしみ

夕ぐれの路上で二人の少女が笑っている
笑いながら二本の木になっていく

さげているカバンも

着ているセーラー服もスカートも木になっていく

暗い台所からあふれてくる暗い水に
つつまれて
その日もくれていくのだが

二本の木になった少女がまだ笑っている
肩いっぱいへの風の重量をうけて

あれは木ではなくて木になった少女
あれは少女ではなくて少女になった木

やがて木の葉にやどってくる夏の死者たちや
二本の木をとりかこむ大きな夜が
あるのだが

二本の木になった少女がまだ笑っている

木のまなざしがもう一本の木を見つめている
夕ぐれの路上で交錯しているあしたと今日の日
そのなかに二本の木がたっている

私が見ていたのはたったそれだけのことなのだが
私のほかの誰もがそれには気づいてはいなかった

（『木になるたのしみ』私家版、一九八〇年）

わかりやすいとかわかりづらいとか、意味が通っているとか飛躍しているとか、何が書かれているとか、そういうことを超えたところにある詩。読み手に寄り添ってくれている詩、へりくだっていない詩、読者と尊敬し合えるような詩。ぼくにはそういう詩に見える。

山内清さんの詩は、その詩のなかでこの世界とは別に生きている。詩の外にどんな言語や常識、文法や論理、道理があったとしても、それとは別に、山内さんの詩には山内さんの言語や、道理や、文法や、常識がある。

それを受け止めることは「詩を読む」というよりも「詩を感じる」ということに近いと思う。真にすぐれた詩はその詩のよさを言葉では説明できない。説明のできるよさっていうのは限界のあるよさではないか。詩は、詩の外でそのよさを説明することはとても難しい。言い方を変えると、詩の外で説明することの難しい詩こそ、ぼくが求めている詩であり、真にすぐれた詩だと思う。この詩は平易だとか難しいとかと言っている外に、詩はある。読み手に食いこんで、生涯、抜けないような詩の鋭い行とはそういうものだと思う。

ぼくの話にはたびたび石原吉郎のことが出てくるけど、山内さんの詩の本質は、どこか石原吉郎の詩に近い。どちらがどちらに影響を受けたというよりも、日本語で書かれた上質の詩がたまたま同じ方向に顔を向けていても不思議ではないし、ありうる話かもしれない。

ネットで見たかぎりの情報だけど、山内清さんは高石市の市役所に勤務するかたわら詩を書いていた。現代詩だけではなくて歌の歌詞、とくに反戦詩を書いている。中川五郎がいくつか曲をつけて歌っている。たとえば「いつのまにか」という歌の「いつのまにか　そんなひとたちは信じている／わたしのくにに戦争が　おこるはずはない／わたしの家族にそんな不幸がくるはずはない」という歌詞は、知らず知らずのうちに戦争に巻きこまれてゆく恐れを描いたすぐれた反戦歌となっている。

高石市のことでとくに知っていることもないし、山内さんがどんなふうに仕事をしていたのかはわからない。でもどんな詩を書いていたのかは、幸いにも詩集が何冊もあるから遠い横浜に住んでいるぼくにもわかる。どこかの市役所に勤めていた本物の詩人。ぼくとは生まれた日時も違っていて、生涯会うこともなくて、顔も知らなくて、でも言葉のひとつひとつが間違いなくぼくを刺し貫いてくれる。ぼくの人生のなかでその詩行が時折思い出される。

こんなふうに、すぐれた詩から生きた人のことがわかるっていうのは気絶するほど素敵なことだと思う。空を見たり音楽を聴いたりするのと同じように、山内さんの詩がぼくの人生のなかにしっかり置かれている。生きることはぼくにとっては、素敵な詩をひとつ読めたっていうことだけでもう充分なんです。

見落としがちなものに目を向ける

たぶん、誰でも好きな詩人って何人かいますね。長く詩を読んでいると、好きな詩人ってたくさんいるからごっちゃになってしまっているけど、考えてみるとたぶんその「好き」っていうのは二種類に分けられるのではないかと思う。

ひとつは、詩を読み始めた頃に惹きつけられた詩人。自分の感性で、何も媒介せず直接好きになったからそういう詩人をかりに「直接詩人」と名づけてみよう。

もうひとつは、評判がいいとか友人がいいと言うから読んでみたとか、評論などで引用されていたりとか、あるいは、これをいいと思わなければまずいんじゃないかと思われるような有名な詩人とか、つまり何か別のきっかけがあって、ある程度詩を学んだあとに好きになった詩人。こちらを「間接詩人」と呼んでおこう。

山内清さんは、ぼくにとっての「間接詩人」。間接詩人だからといって、直接詩人よりも重要じゃないかというと、そんなことはない。たぶんぼくが詩を書き始めた子どもの頃に読んでも、そのよさを感じられなかったと思う。だから「直接詩人」とは言えない。直接詩人ではなくてもぼくにとってはとても大切な詩人。

あるいは、学んだあとによさを感じることのできるようになった間接詩人だからこそ、頼ることのできる、生涯にわたって戻ることのできる場所になりえたのかもしれない。詩に苦しんでいた頃に出会った詩人。だからこそ大切な詩人なのです。もう一篇読んで終わります。

☆

せかいの片側

どんな取引があったのか
その日のかぜが
道路にならべられたナベ・カマ・コップと
いっしょに
せかいの片側を奪っていったのだ
せかいの片側は眩しいカガミのせかいで
いくつものこわれたまどが

そらいっぱいにならんでいて
ひとつずつの死体を吐き出している

どんな取引があったのか
せかいの片側へころがりこんでいく
なんにんもの眩しいおとこたちの
眼のなかには
メロンやスイカがならんでいて
眩しいおとこたちといっしょに
せかいの片側で
なにかにかわろうとしているのだ

せかいの片側の眩しいカガミのなかには
顔面いっぱいのつらい血や
痛みとなってひびくサイレンがつづき
ちゃいろのにじや
雨を生む木がならんでいて

こわいいがぐり頭がなにかを言おうとして
わたしを見つめているのだ

どんな取引があってその日のかぜは
せかいの片側を奪っていったのか
ふくれた舌ばかりがせかいの片側から
なにを叫んでいるのか
古新聞と死んだとりがまいあがっている
せかいの片側に
どんな寒さがやってくるのか
その日のかぜは黙ったままで
夜をつくっていく

（『せかいの片側』鳥語社、一九八二年）

山内さんの詩には、「なんでもないものの悔しさ」が書かれている。うっかり見落としてしまうものにきちんと目を向けることができている。こういう詩を書けるようになりたいと、つくづく思う。

2019.1.6　横浜

隣りで書かれている詩　三橋聡の詩

同人誌の人間関係

以前「ロシナンテ」の話をしました（現代詩文庫『松下育男詩集』思潮社、二〇二〇年、収録）。石原吉郎と勝野睦人と、それから好川誠一について。「ロシナンテ」という、戦後すぐに「文章倶楽部」の投稿欄の仲間が集まって始めた雑誌があり、そこでの人間模様みたいなものを話した。そのときに話をしたのが詩とその奥について。詩って誰かが書いたものですね。そのことを詩から読み取るもよし、読み取らないのもよし。詩って、基本的にひとりで書くものだけど、書いているうちに人と関係ができてきたりする。

そのひとつの例として同人誌の一側面の話をしました。そのとき、とくに好川誠一の話をしたときに、文学、人との関係で傷ついて、自分を追いこんでしまった話を強調しちゃったから、そのあと「ぼくは同人誌には決して入りたくない」と教室の参加者のひとりが話しているのを聞いて、ぼくはちょっと反省しています。

同人誌ってそれだけでもない。もっとお気楽なのもいっぱいあるし。ただ、そのときに話をしたことね、ぼくは嘘を言ったつもりはないの。ただ、やっぱり自分が書いて、その詩を認められたいとか、ほめられたいとか、有名な雑誌に載りたいとか、詩集を出したいとか、賞がほしいとか、死んでからも名前が残りたいとか、なんでもいいんだけど、そう思うのはふつうだと思う。そう思うほうが、当たり前だと思う。そういうのって、やっぱり原動力になるんだと思うわけね。ぼくは勤め人を四十三年やってきたけれども、出世したいと思っている人のほうが仕事ができるのね。いやなやつでも仕事ができるやつのほうが出世する。自分の詩を愛しているんだったら、その詩を認めてもらいたいって思うのは当たり前だと思う。

ただ、その認められたいっていう欲望を、自分で制御しなきゃいけない。その欲望に自分が取りこまれたらいけない。好川さんが、取りこまれてしまったとは言わない。ぼくも知らないもの、そんなに細かいこと。ただ、ひとつのパターンとしてこういう事実があって、そこからこういうことが言えるということを言っただけであって、あのときに石原吉郎、好川誠一がどうだったかなんて、そこまで言う権利はないし、ただ、図式のひとつとして言っただけなんだ。

遠い詩、近い詩

今日話すのは、「グッドバイ」という雑誌について。ぼくがまさに入っていた雑誌についてです。以前に、詩を読むというのは二つの形があるという話をしたと思うけど、詩を読むときは、有名な詩人、たとえば「現代詩文庫」に載っている詩だったり、戦前の詩人、教科書で読んだ詩人、そういう遠い存在から学ぶのがひとつの詩を読む経験だけど、でもそれだけじゃない。詩を読む経験にはもうひとつの面があって、近くにいる人、同じ時代に息をして同じ時代の空気を吸っている人、同じ社会で暮らしている人たちが、自分が書いているそばで、隣りの席で書かれている詩も、もうひとつの詩なんだよね。

それは、たとえば萩原朔太郎とか伊東静雄とかみたいには残らないかもしれないけど。じゃあ、ぼく自身がこれまで詩を書いていて、自分のなかにどんな詩が残っているかというと、そういう遠く仰ぎ見る存在の詩、教科書の向こうの詩ばかりじゃない。高校生のときに、同じクラスに加藤くんという、学生運動にも参加していた人がいて、その加藤くんが自分の詩をまとめて、教室のみんなに見せていた。ぼくも当時詩を書いていたけど、恥ずかしくて誰にも言えなかった。ぼくは、自分の詩なんて幼稚でだめだと思っていたし、自信があってもできなかったと思う。加藤くんは自分が書いたものをまとめて外に出すことができる人だった。彼は学生運動も詩も、そうすべきだと思っていた。加藤くんの詩を読んだときに、「あ、すごいな」って思った。そういう「すごいな」っていう気持ちは、生涯忘れない。中原中也とか、遠くの詩人が書いた詩とはまた別の魅力がある。

そういう、もうひとつの詩、自分の近くにいる人の詩には、そうそう巡り合えるものじゃないから、やっぱり覚えているんだよね。覚えているだけじゃなくて影響を受ける。ぼくは加藤くんの影響を受けている。詩を読む、詩を書く、詩を生きるっていうのは、つねに二つの面がある。歴史としての詩、それから現在の詩。とはいえ、たまたま同級生がいい詩を書いているなんてことはそうそうない。近くで書いている人の詩って、他に何があるかというと同人誌。投稿欄もそうだけど、やはり同人誌だよね。

「グッドバイ」

「グッドバイ」が創刊されたのは一九七五年。戦後三十年経っている。詩の世界も「荒地」「列島」を経て「櫂」があり「凶区」があり、いったん行き着くところまで行ったあとで、ちょっと抒情の回帰もあったのかもしれない。戦前の詩も再評価しようという雰囲気があった。ぼくの勝手な解釈ね。戦前、戦後、そういう区別なしに、現代詩にはもっと鋭い、輝いているものがあるんじゃないか。そういうのが出てきた時代。

具体的に言うと、荒川洋治とか、平出隆とか稲川方人。自分が詩を書くことによって創作だけじゃなくて編集もやる、発行元にもなる。詩や感性全体を自分でリードする、そういう気概をもって出てきた人たちが何人かいた。そういう流れのなかで出てきたのが「グッドバイ」です。

その頃、他にどういう雑誌があったかと言うと、いろいろあったけど、「グッドバイ」の近くには「夜行列車」という雑誌があった。まったく同じ世代。瀬尾育生とか清水鱗造とか若井信栄とか。たぶん「現代詩手帖」の投稿欄で集まった人たち。それから「射撃祭」。「射撃祭」はホントに近い存在だった。高木秋尾が主宰していて、ここに三橋聡が入っていた。岩佐なをもいた。

三橋って、最初、「詩人会議」に投稿をしていた。ぼくが一九五〇年生まれで、おそらく彼は一九五三年生まれ。三つ年下。十代ですでに『断片的なフォルム』（秋津書店）っていう詩集を出していた。なにしろ詩が好きで、いっぱい書いていた。あとで聞いたんだけど、当時、週刊で個人誌を出して、それをみんなに売っていた。中身は知らないけど、週刊で出すっていうエネルギーね、そのエネルギーが詩の質を高めていったんじゃないか。三橋は「詩人会議」に投稿していたけど、他の投稿詩とはちょっと違っていた。雑誌っておのずと傾向があるものだけど、三橋の詩はずっとレトリックに走っていたし、艶のある言葉を目指していた。それが自分でも感じられて、「現代詩手帖」に投稿を始めて、「詩人会議」から「現代詩手帖」に移った。たぶん一九七四年か、七五年くらい。

☆

幼年論

ほらね　喉がキリンのようにながくなったら
きっとどんな言葉だってみちくさばかりくって
童話に夢中になってしまうだろうよ

木が吐きだす唄　その緑の声帯のなかで
積木からおりたばかりの姪の三歳の耳

孤独な水音やつまらない落下音
けれども君はぼくの話よりも音に敏感だから
つめたくひかる吐息のなかで
ふいにいなくなってしまうのが常である

そこがどんな場所なのか　もちろんぼくは知るすべがない

よくみると　君はぼくのめのまえにいるのだけれど、、

（『アルカンの挨拶』紫陽社、一九七七年）

近くにいる人の詩

「グッドバイ」は、三橋聡と上手宰の二人が中心になって作った雑誌。それまで三橋は「射撃祭」の他に「層」っていう雑誌にも入っていた。これは「詩人会議」の人たちが中心。上手宰はその当時、「詩人会議」の編集をやっていた。三橋も「詩人会議」に投稿していて目立っていた。この二人が一緒にやろうというのでできたのが「グッドバイ」。だから、なんかこう、傾向が混じっている。そのときに、二人だけでやるのもなんだから、三橋が島田誠一という魚関係の仕事をしている人と、目黒朝子という数学の先生、この人はホント、幾何学模様のような詩を書いていて、その二人を誘った。それから上手が、ぼくに声をかけてくれて、五人で始めた。上手と三橋がよく議論や口喧嘩をしていた。大久保だか新大久保だかの飲み屋へ行って、酔うと喧嘩が始まる。上手派と三橋派がいて、ぼくはどちらかというと上手寄り、でも曖昧にしていた。ただ、なんていうか、雑誌って異種が混じったほうが面白いと思う。やっぱり「現代詩手帖」に投稿している人って、ある種、似たところがある。そこに「詩人会議」の要素が入って結構面白かった。

同人誌って何がいいかっていうと、次の号のために詩を持ち寄って、このときだったら五人

が持ち寄る。いまみたいにe-mailがあるわけじゃないから、原稿用紙にカチッとした字で書いてきて、みんなで回して読む、そのときに感じる新鮮さっていうか。似たようなことを、この教室でも感じるんだけど、三橋が「こんなの書いたよ」っていうのを差し出して、初めて読むでしょう。読んでみると、すごくいいいんだよね。涙が出るくらいにいい。同時代の、近くにいる人の詩って、一番よく読めて理解できる。有名な詩人の詩よりもよほどぐっとくるのに、どうしてこれが有名にならないのか。近くにいて感動するんだけど、同世代で、近いところで書いているから、自分の詩が自分でわからないのと同じ感じになる。自分の近くにいる人の詩も、自分自身の周辺になってしまっているというか、同人誌っていうのは、大きな自分なんだ。だから、すごく感動するんだけど、それって、自分の詩を読んで気持ちよくなっているのと似ているところがあるのかもしれない。今回も事前に三橋の詩をみんなに送って、ぼくなんかこれらの作品をうっとり読むけど、たぶん送られた人はそうでもなかったりする。それは仕方がないことなんだろうな。

☆

紙飛行機

中庭の木椅子のところで午後になる

夏休みのように誰もいないぼくの耳には水だけが光っている
櫂を軋ませながら舟がながれてくる
白い歯と痩せほそった体をきりつさせひとりの兵士が瞼を閉じる
君の瞼には果実を割ったような国境と
水のようにどんどん蒸発しちまった男たちのつまさきがやきついている

サイゴンの木立ちの中をあるきながら解放軍兵士が陽の文字のように手紙を書いていた
その訪れた祝歌でさえ今ぼくの頭蓋を砕くのに充分すぎる

ぼくは、ぼくの思想を折りたたみ紙飛行機をとばす
そのとめどない光りの中でぼくの瞳孔はいつまで拡散をつづける？

中空に一瞬とまったままの紙飛行機
坂道をくだるように、そのままぼくの視界へとひろがる！

気がつくと、黄昏をぬって歩く足のあたりからぼくたちの街が無表情な光沢をたたえている
　のがみえる
君たちの日付にしみた血の総量をすっきり排泄しながら
（『アルルカンの挨拶』）

感じたこと五点

三橋の詩について、ぼくが感じたことを五点言っておきます。もっといっぱいあるけど、
（1）やはり時代の影響。詩人って、時代の影響をもろにかぶる人とそうでない人がいる。どっちがいいとか悪いとかではなくて、三橋ってつねに状況を気にしていたし、社会を気にしていたし、でも、ベトナム戦争反対のデモに行くとかそういうことではなくて、ベトナム戦争でさえ、きれいにレトリックとして使いたい。それが彼の個性。あるいは、詩に関しても、まさに当時の詩の状況をきちんと踏まえて書かなきゃいけないと思っている。そういうタイプの人だった。書き方、社会、時代の波に乗っていたのかなと思って。年下だったけど、会った当初からみんなのことを呼び捨てにしていた。三橋は、自分がみんなのことを引っ張っていると思っていた。こっちも生意気だなとは思うけど、腹は立たない。堂々とした生意気さだった。見た目のスッキリとした男だった。
（2）次に、直喩。まさにこの詩がそうだよね。三橋は「のような」っていう言葉が好きなんだ。直喩そのものが好きなんじゃなくって、「のような」っていう言葉が好き。でも「のよう

な」単独では使えないから前後で見事な直喩を作ってしまう。読んでもらえるとわかると思うけど、すさまじい直喩の多用だよね。ほとんど骨格みたいになっている。その当時って、清水昶流の暗喩、隠喩、暗い側面のほのめかしのすごさみたいなものに覆われていて、もっとスカッとした直喩を使いたいっていうのが彼のなかにあったのかなという気もする。

（3）三つ目は、話し言葉の活用。これも、とてもうまかった。さっきの「幼年論」にも出てくるけど、感情の優しさがダイレクトに伝わってくるから。まさに優しさにほだされてしまう。「話し言葉の活用」の効果を彼自身わかっていた。

（4）四つ目は、形容詞、形容動詞の新しい魅力。例は出さないけどよく読んでもらいたい。これは三橋が始めたんじゃなくって、当時の、清水哲男であったり郷原宏だったり荒川洋治だったり、新しい形容詞の使い方が日本語のなかでだんだんでき上がってきた。三橋もそれに乗っかっている感じ。

もうひとつ言うならば、三橋って当時すごく悩んでいたことがあった。というのは、詩が清水哲男に似ていると言われること。当時、清水哲男は目立っていて『喝采』であったり『水の上衣』であったり、『水瓶座の水』『スピーチ・バルーン』であったり、刮目すべき詩集を次々に出していた。似ているというと抵抗があるけど、影響を受けていた可能性はある。それですごく傷ついていた。でも、それって仕方がないのかなって。それを言っていたらきりがないような気がする。でも、本人はすごく気にしていた。清水さんは敬愛する詩人だったから。誰でも誰かに似ているんだけどね。
（5）五つ目は、「水」に関する言葉へのこだわり。「水」は、彼にとっては、もうひとつの世界。いま、ここで呼吸しているところからもうひとつの世界である詩へ行こうとする橋、橋の向こう側なんだ。水っていうものが、自分があくせく働いているところから詩の世界へ渡るキーワードだったのかなっていう。
「首都水名」、「首都の水名を」って「現代詩手帖」に採られていたし、あれって首都に水の名前をつけたらどんな名前になるだろうってアイデアです。

☆

首都の水名を

なぜ僕は水しぶきをあげてまでもあの柵のむこうに行こうとしたのだろうか
その日も父は土を信じてすばらしい恐怖のように汗をおとした　クレヨンが夕焼けに溶けて
僕の瞼に影絵をつくっていた　上衣はいつものように椅子にかかっていたが、その時すでに
父はいなかったのかも知れない

ひとつの地名だけをその余白にかきこんで夏はもう瞼を閉じてしまったよ
収穫にゆれる午後　舟足につらい秋唄をききながら　僕は坂道をその角度の異和のなかでお
りている　不思議に人に出会っていない　そのまま歩くことが唯一の姿勢だったのである
ある時期をすぎると物はその形を失いはじめる　足音だって美しく散ってゆく
わずかに残された言葉で僕は水を飲んだ　からだをひくと　水面には老いた柵がフォーカス
のようにうかびはじめる　僕は手をふった

それが物語の入口であったとしても
ただ世界をうらがえしたにすぎない土から離れて　今　ゆらゆらと海草のように佇ちつくし
空をいくあめあしをみつめている青年よ
淀む視界をうってこの首都につけられるべき
水名を記憶せよ

（『アルルカンの挨拶』）

詩をやめる

ぼくは途中でやめてしまったので、「グッドバイ」がいつ終わったのか知らない。「生き事」もやめちゃったけど、なにしろぼくはやめちゃう人だから。七号くらいまではいて、たぶん八〇年代にも出ていたと思う。優秀な同人も何人か入って、三橋も最後までいた。三橋は、自分の雑誌だと思っていたから。自分の雑誌っていうのは、自分の詩を載せるっていうだけのことではないんだよね。彼は、美術もやっていて、同人誌を作る行程が全部好きだった。いまみたいにPCがないから簡単じゃない。原稿用紙で書いたものを文字数を数えてデザインして宣伝文を書いて、そういうのを全部やって。詩に対する愛着がまさに「グッドバイ」っていう雑誌に対する愛着だった。すごく美しいと思う。ぼくにない美しさを持っていた。それで最後まで遂げて終わったんだ。詩集は『アルカンの挨拶』と『日没までの質問』、その前に一冊詩集を出した。

それで、詩をきっぱりやめた。本当にきっぱりやめた。当時、ぼくも詩をやめていた。三橋は奥さんの実家の近くに引っ越して住宅会社に入社した。「グッドバイ」を始めた頃に大学を出て、住宅会社に入るときはもう新卒じゃなくて、そこそこの歳になっていた。三橋からあとで聞いたんだけど、住宅会社の面接を受けたときに「グッドバイ」を全部持っていったそうです。住宅を作って売る会社なんだ。現代詩は関係ない。

でも、彼は詩を書くだけじゃなく雑誌そのものを作っていた。詩とその周辺、アイデアと、そのすべて、自分のいままでを見せた。詩っていうもののとらえ方がぼくよりも大きかったんじゃないかな。そのおかげかどうかはわからないけど、その有名な住宅会社に彼は見事に受かった。受かったあと、彼は茨城だし、ぼくも詩をやめたり、また戻ったりして、音信不通になってしまった。

☆

風のおわりに

それから
小さな風になるまえの風と
片手に持っているクッキングブック
日没の空にひろがってゆくしみのようなもの
ばかりみていた
忘れていた
木を描いて
ふいに全部、違ってきたから

「今日はここにいるんだ」
だけど、いつのまにかきみはいなくなって
長いストローだけが残る
ときには
こんなふうにいきさつをとばしてみると
私語のように
あらゆる関係が
でたらめに屈折しては
脹む
「大きな風船が欲しいよ」
流れるだけ流れて
割れるから
ちょうど半分だけ
失踪する
少年のように
半分だけ
「何も見えないさ」

帽子がとばされる
その瞬間にも……

（『日没までの質問』紫陽社、一九七九年）

詩集を出した理由

二〇〇三年にぼくは『きみがわらっている』という詩集を出した。八〇年代に三橋は詩をやめている。この詩集、なんで出したのかぼくにもわからない。でも、あえて理由を探すなら、当時、何年も詩を書いていなかったから、最後に一冊出してやめようと思った。出版元はミッドナイト・プレス。出版元の岡田幸文さんが「出版記念会をやりましょう」と言ってくれた。出版記念会って、広い会場を思い浮かべるかもしれないけど、そのときは、居酒屋の小さな個室で、吉祥寺だったかな。なぜかというと出席者が少ないから。出版元と清水哲男さんと八木幹夫さんと、そとめそふさんとぼく。案内だけは何人かに出した。でも欠席ばかりの返事が戻ってきて、一番来ないだろうと思っていた三橋が茨城から来てくれた。住宅会社で、どんな才覚があったのかと思うけど、偉くなっていた。「松下！」って、いつもの呼び捨てで。すごく喜んでくれた。「お前、詩集出したのか」って。で、三橋はというと「詩なんかぜんぜんやってない」っていう感じ。嬉しいのは、そこに清水哲男さんがいたこと。三橋は驚いて、すごく喜んだ。自分の生涯で、自分があこがれて、敬愛して、この人みたいな詩を書きたい、この人みたいな抒情に生涯を捧げたいと思って、自分が詩を書く源のような人が、たかだか五、六人の出席者の一人だった。すごく感激して、いっぱい酒を飲んで、もうぼくの詩はそっちのけ。ただ、「清水さん、清水さん」っていう感じ。ぼくはこっち側から「ああいいな」って幸せな気持ちで見ていた。

三橋は偉くてお金持ちになっていた。それでみんなに、冬になったら、あんこう鍋をごちそうしたいから茨城に来てくださいって言い出した。みんなって言うけど、呼びたかったのはただ一人だけどね。清水さんもその気になって、手帳を出して、じゃあ何月何日にしようかって日にちまで決めた。その冬に、みんなであんこう鍋に行こうよ、と。それでその夜は終わった。いっぱいお酒飲んで、いっぱい話をして、三橋もいい思い出になったなという感じで、吉祥寺駅までゆっくり歩いて、清水さんは優しい人だから、いつも寡黙に、人の気持ちを傷つけずに、人の喜びを増すような態度で接してくれていた。みんな幸せな気持ちで帰った。

正確には覚えていないけど、そのあんこう鍋の約束の日の一ヶ月ほど前かな、三橋から、あんこう鍋を延期してくれないかってハガキが来た。それを清水さんに伝えてくれって。それで清水さんに「清水さん、三橋の具合が悪くなってしまったので、あんこう鍋を延期してもらえないかと言っています」とメールをしたら、清水さんから「松下くん、あんこう鍋は逃げていきはしないでしょう」っていう返事が来て、三橋に伝えた。

それが、その年の暮れに、夜、奥さんから電話があって、「三橋が亡くなりました」と。どうしてそうなってしまったのかわからない。五十歳で亡くなった。翌日、島田誠一と一緒に茨城に行って遺体に会いました。告別式にも行きました。ぼくもこの歳になると、告別式にはたくさん出ているけれども、あんな大きい告別式は見たことがない。ほぼ会社関係の人たち。だからなんだっていうわけでもないけどね。

『きみがわらっている』っていう詩集をどうして出したのか、言おうと思えばいくらでも理由はつくけど、やっぱり確たる理由はないんだよね。そこから先、詩を書き続けていこうなんて気持ちはサラサラなかったし、いまもない。詩に何かしてもらおうなんて気持ち、まったくないし、ただ、詩集を出しておきたいっていう気持ちだけはあった。でも、それも後づけの理由。確かにそれまでに詩集は何冊か出しているけど、自分に子どもが生まれてから出したことはないということは言えるんだ。

三橋が亡くなって思うのは、あの夜、三橋と清水哲男さんを引き合わせるために、ぼくはあの詩集を出したのかもしれない。詩を書くって、詩を書いたときの喜びだけじゃなくて、詩の奥に詩を書いている人の血液が流れている。その血液が巡り巡って、時々、自分にもいいこともあるよ、というのが今日の話です。

2017.8.13　横浜

詩人力がついた　太宰治と上手宰

詩が見捨てないでいてくれた

　今日は今年（二〇一八年）最後の教室ということで、何の話をしようかなと考えていたのですが、なんか考えがまとまらなかった。年の終わりだから、本当はまとめの話をしたいけど、まあ、来月もあるわけだから、今日はとりとめのない話をします。

　初めに考えたのは、「どうしてぼくはここにいるんだろう」ということ。これはぼくの癖で、いつも自分のいるところを不思議な目で見る習性がある。あらゆるものを見直さなければ気が済まない。無意識に過ごすということができない。慣れるということに恐れがあるというか。いまこうしていることにとりあえず疑問符をつける。会社を定年退職して、やろうと思えば朝からこっそりお酒かなんかを飲んで、昔のことを思い出しながら何もしないで一日を終えることもできるのに、どうしてそういう日々を送っていないのだろう。

　現実のぼくは根岸線に乗って、横浜の教室にまで足を運んで詩人たちの前でこうして話をしている。これってなんだろうと思うわけ。どうしてこういう状況になってしまったんだろう。そうすると、自分が生きてきた道筋をどうしても思い出してしまう。

ぼくはここで何度も話をしてきたように、わりと若い頃から詩に惹かれて、詩を読み書きしてきた。でもまさか六十八歳になってまだ詩のことを考えているなんて十代の頃には思いもしなかった。詩は青春の文学という言葉があるように、若い頃に夢中になって、歳とともに忘れてしまうものかと思っていた。でも現実はそうではなかったということが驚き。十代から六十代って五十年間あるんだけど、経ってしまえばそれほどの時間ではなく、自分が大切に思うものが変わってしまうほどの長い時間ではなかった。

言い方を変えると、老年になっても詩はぼくを見捨てることがなかったということ。どうして何もしないで過ごす老人でいないのかというと、詩がそばにあるから。そういうことなんだ。もしも詩を書いていなかったら、いまのぼくはどうしていただろうと考える。昨日と同じ今日を迎え、今日と同じ明日を迎えるだけだったかもしれない。別にそれが悪いわけじゃない。人それぞれだから。でも、やっぱりいつまでも自分に何ができるかということにドキドキしていたい。詩はそうさせてくれる。いつまでもぼくを試してくれる。がっかりしたり、有頂天になったりさせてくれる。詩を読み、書いているっていうことはそういうことなんだってわかってきた。それは十代の頃も六十代でも変わらない。

どんな明日になるのかわからない。明日は何ができるのかわからない。何が書けるかわからない。わからないことがあるっていう、すばらしいところで生かしてくれる。それが詩なんだ。だから詩はすごいと思う。詩に対する熱い思いは十代の頃から持っていた。それは確かだ。詩のことばかり考えていた。授業中も、家に帰ってからも詩のことばかり考えていた。ただただすごい詩を書きたい、息を呑むような美しい詩を書きたいと思っていた。それだけなのね。そのためには生きていて何ができるだろうってそんなことばかり考えていた。気持ちが悪いと言えば気持ちの悪い若者だったわけ。

たぶんこういう感覚って、人に説明しても理解してもらえないだろうと思っていた。すごい詩ができたら人生もう何もいらない。詩を書いてどうしたいとか、詩人と名乗ってどうなりたいとか、そんなことはどうでもよかった。というよりも考えもしなかった。読んだあとで感動のあまり立ち上がれなくなるような詩を書きたかった。だから当時のぼくは、詩はひとりで書くものだし、すぐれた詩は本を読めば勉強できるし、人と会ったり知り合いになったりする必要はないと信じていた。

もともと詩を書こうなんていう人は性格的に人と付き合うのが苦手な人が多いから、ぼくも自分がそうだと思っていたし、偏屈な性格だと確信していたから詩の知り合いを作るなんて考えてもいなかった。

動き出すことが必要

でもそんな自分のかたくななな気持ちを変えてくれた人がいた。さっき人生の道筋を思い出すと言ったけど、その道筋を変えてくれた人。ひとりで書いていればいいと思っていたぼくを外に連れ出してくれた人。それが上手宰さんだった。ぼくにとっては特別な人です。

ぼくは若い頃に雑誌に詩を投稿していて、一九七三年に「現代詩手帖」で石原吉郎がぼくの詩を選んでくれた。そんなことがなければぼくは詩を書き続けていたかわからない。いや、書き続けていたかもしれないけどずいぶん違っていたと思う。たかが投稿詩じゃないか、大げさだよと言う人もいるかもしれないけど、ぼくにとっては決して大げさなことじゃない。他のどんなことよりも重要なことだった。

でも、ぼくに詩を書き続けさせてくれたのはそれだけじゃなかった。同じ頃ぼくは「詩人会議」にも投稿していて、何回か入選していた。ぼくの詩を読んでくれたのは選者だけではなくて、編集者もぼくの詩を気にしてくれて、その頃の詩人会議の編集をしていたのが上手さんだった。ある日、その上手さんから手紙がきた。細かいことはもう忘れてしまったけど、たぶんこういう内容だったと思う。

「今度、詩の同人誌を始めようと思っている。私は詩人会議の編集をしている者で上手宰といいます。詩人会議の投稿欄でのあなたの詩に注目をしていました。ぜひ一緒に雑誌をやりたいのですが。」

さっきも言ったように、ぼくはそれまで詩をひとりで書いてゆくつもりだった。すごく嬉しかった。自分の詩を読んでくれている人がいたという驚きとともに、ひそかに自分の詩を受け入れてくれる人がいたということに感動をした。それでとにかく会ってみようと思って大久保だか新大久保だかの駅からすぐのところにあった「花園」という名の薄暗い喫茶店で会った。椅子の向こう側には上手宰と三橋聡が座っていた。三人とも緊張していた。ぼくはすごく真面目に詩のことを考えていて、言いたいことは山ほどあったけど初対面だからなかなかうまく喋れなかった。あのとき上手さんと三橋と三人で会ったときのことをよく思い出す。人生に何度もない重要な瞬間だった。

この人たちは、ぼくと同じ種類の人たちだと思った。それまで自分のまわりにはいなかった人たちだ。誰とも話のできなかった詩のこまごましたことを話してもわかってもらえる人だと思った。ぼくの知らないいろんなことを教えてくれる人だと思った。そんな人がいるんだと思った。驚いたし感激した。この人たちとやってみようと思った。この人たちと詩をやってゆこうと俯いた頭のなかで思っていた。それで始めたのが「グッドバイ」という雑誌です。創刊号ができたときは嬉しくて枕元に何冊も積み上げて寝た。目が覚めたらまず初めに目に入るように。それくらい嬉しかった。

もし上手さんと三橋聡に出会っていなければ、ぼくにとっての詩はかなり違ったものになっていたと思う。幸運だったのは、上手さんがわざわざぼくのところに手紙をくれたこと。本当は、あの頃ぼくは自分から動き出す必要があった。詩人って、書いているだけでいいとつい思ってしまう。それでももちろんいいし、本人がそれでよければ余計なお世話かもしれないけど、やっぱり詩は外に連れ出してあげる。前にも言ったけど、詩人は動き出さなきゃ何も始まらない。詩のために何かしてあげることも大切なんじゃないかと思う。ひとりでひっそり書いていると、なかなか新しいところへ向かおうという気にならなくなる。やっぱり刺激が必要。ぼくはこの会でみんなの詩を読んでいて、読みながらいろんなことを考える。そうするとそれまで思いもしなかったことが見えてくる。自分ひとりの頭で思いつくことなんてタカが知れている。つねに人の詩を読んで人の言葉に耳を傾けていないと新しい考えなんて生まれない。書くことって自分が受けた刺激に対する反応だと思う。何も吸収しようとしなければ反応も生まれない。

「現代詩手帖」の投稿欄

似たようなことが「現代詩手帖」の投稿欄にも言えて、今年選者を引き受けてこの五月から毎月大量の詩を読むことになった（二〇一八年六月－一九年五月）。入選した詩については毎月その感想を雑誌のなかに書くけど、入選しなかった人の詩も当然のことながら毎月じっくり読んでいる。入選していない人のことも毎月読んでいると気になってくる。だって入選している人よりも落選している人の数のほうが圧倒的に多い。

多くの人が発売日に雑誌を開いて、自分の詩が載っていないかとどきどきしながら後ろのほうの投稿欄のページを開いて、ああまただめだったかとがっかりしてって、そういう姿がはっきりと見えてくる。その姿ってものを書く人間にとっては人生そのものなわけ。その瞬間で心持ちががらりと変わってしまう。生きていることそのものがそこに凝縮している。

投稿詩を読んでいて、この人はどうしてこうなるんだろう、ここをこうしたらぐっとよくなるのにと思う人が何人もいる。でもそういう人に電話をかけて個人的に教えては不公平になるし、もちろんそういうことはしない。言いたいことは、選者って入選作を選ぶだけじゃなくて、それ以外の詩からもたくさんの刺激をもらっているということ。

そのうちいま落選している人たちのなかからも、ある日何かをつかんでぐっとよくなる人も出てくると思う。そういう人はのちに選者だったぼくに会って、あなたが落とした私の詩はこんなにすごかったんだってぼくに見せつけてもらいたい。いまは詩の肝心なところをつかみ切れずに悔しい思いをしている人には、本当にそうしてもらいたいと思う。

ぼくも昔投稿していたけど、必ずしも入選していたわけではなかった。落ちた詩もたくさんある。でも、詩集を作るときには投稿で落ちた詩もいくつか拾った。だって、ある時点で選者の目に止まらなかったというだけでその詩を捨ててしまうのはあまりに安易で冷たいと思ったから。詩って一篇では目立たないけど、他の自分の作品のなかに入るとその役目を果たすことがある。だから自分の目で自分の書いた詩を見極める必要がある。

投稿で落ちたからって全部ダメということじゃない。世の中そんなに単純じゃない。もっと長い目で遠くを見ながら詩を書いていい。いまは遅れをとっていても、その人その人の伸びる時期は違っていて、あとで取り返すことだってできる、真面目に取り組んでいればそういう可能性もあるということをひとりひとりに言ってあげたい。そういうことをなかなか入選できずにいる人にも伝えたいと思う。それはまさにぼく自身でもあるから。

この教室に来ている人たちはぼくの若い頃よりもずっと自分の詩のことを考えていて、勇気があって、わざわざ詩の教室に来てくれている。だからことさらこんなことを言う必要もないけど、ここではもちろん自分の詩が人にどう読まれるかってところが一番大事だけど、それだけじゃなくて他の人たち、詩人たちがどんなことを考えてどんなふうに生きていて、どんなことを語るかを観察したり感じたり、受け止めたりできる場でもある。

そうして感じたことがまたひとりに戻って詩を書いているとき、迷ったときの指針になる。いろんな経験をためこめる場でもある。自分ではないけど、自分のような人たちがたくさんいる場所。それがこの場所。そんなところ、めったにない。それってぼくが上手さんや三橋聡と出会ったのと同じだと思う。

太宰治の宰

ところで、上手宰の「宰」は太宰治の「宰」だよね。「治」ではなくて、「宰」の「おさむ」。

本名だからご両親がつけたのだろうけど、上手さんの宰という名前は太宰治から来ているんだと思う。太宰治と言うと、ぼくがすぐ思い浮かべる文章がある。詩人について書いている。これは辻征夫さんもエッセイのなかで引用しているから知っている人もいると思います。

☆

私は野暮《やぼ》な田舎者なので、詩人のベレエ帽や、ビロオドのズボンなど見ると、どうにも落ちつかず、またその作品というものを拝見しても、散文をただやたらに行《ぎょう》をかえて書いて読みにくくして、意味ありげに見せかけているとしか思われず、もとから詩人と自称する人たちを、いけ好かなく思っていた。黒眼鏡をかけたスパイは、スパイとして使いものにならないのと同様に、所謂《いわゆる》「詩人らしい」虚栄のヒステリズムは、文学の不潔な虱《しらみ》だとさえ思っていた。「詩人らしい」という言葉にさえぞっとした。(後略)

ずいぶんな言いようだけど、でもあながち全否定できない。とくに「散文をただやたらに行《ぎょう》をかえて書いて読みにくくして、意味ありげに見せかけている」のところは思いあたるフシがないわけではない。これって太宰治だけじゃなくって、あるいは当時の話というだけではなくて、いまでも多くの人が感じていることなのかなと思う。

詩人っていうのは
大げさなものいいをしている人で
どこかうさんくさくて
ひとりよがりで
わかりづらくものを書いて
人と関わるのが下手で
お金がなくって
ちょっとしたことで傷ついて
すぐにひとりになりたがって
友だちがいなくて
うっとりとなりがちで
きれいなものにはぞっこんで
ことばの近くに生きていて
真面目で
詩が書ければ何もいらなくて

って、たしかにそういうものなのかなって思うわけ。

老人力、詩人力

何年か前に赤瀬川原平が「老人力」って言葉を作って、耳が遠くなったり動きが鈍くなると「老人力がついた」って言っていたことがあった。こないだふと思ったんだけど「老人力」があるなら「詩人力」というのもあるんじゃないかなと。「詩人力がついた」っていうのはどんなことかなと暇なときに考えていた。つまり、意味のわからないことを書き始めたら「詩人力がついた」。極端に発行部数の少ない本ばかり読むようになったら、「詩人力がついた」(笑)。

まあ、そんなふうにふざけていても意味がないから、もう少し真面目に考えると、見えないものの姿が見えてそれを言葉で表現できてしまうようになった人を詩人力がついたっていう。あるいはこの世の聴こえない音を聴き取ろうとしてじっと全身を澄ますことを詩人力がついたっていう。要領が悪くって、お金になるようなことは苦手で、人に頼まれたわけでもないのにひたすら言葉のそばでうっとりとしている人のことを詩人力がついたっていう。

そういう詩人という存在が日本にどれくらいいるかというと、「現代詩手帖」十二月号の巻末に詩人の住所録が載っていて、それを見ると、おそらく千五百人以上いる。ここに載っていない詩人がかりに同数いるとしたら三千人以上の詩人が生きていることになる。三千人の詩人力のついた人が日本にはうろうろしているんだなと思うとちょっと勇気が出てくる。

話がそれてしまったので、ぼくの好きなジェイムス・リーヴスのまっとうな言葉を引いておきます。

☆

詩を書くひとすべてに当てはまる詩人の定義を作ったひとはだれもいない。しかし理想的に言えば、詩人は他のひとびとに似ていなくもないと言うことはできる。彼は多くのさまざまなひとびとに似ている。しかし彼らと一線を画しているのは異常に発達した言語能力だけである。どんなに専念しても必ず詩人になれるとは言えないが、潜在的にはだれでも詩人に生まれついている。（ジェイムズ・リーヴズ／武子和幸訳『詩がわかる本』思潮社、一九九二年）

最後に、上手宰さんの詩を読みます。この詩は決して読みにくくはないし、意味あり気に見せかけてもいない。詩のなかに生きる意味がいっぱいつまっていると思う。太宰さん、この詩はどうでしょうと聞きたいところです。

☆

運動会

元気な子ども達にまじって

透明な死者が
綱引きをしている

力は全くないので
勝ち負けには関わりがない
ただ　綱に触れていたかったのだろう
子どもの死者だったから

その手が触れたところから
かげろうのようにわき上がる音楽は
生者には見えない

生きている子ども達は
その音楽に気付かなかったが
綱を引っ張るたびに空を見上げては
深い秋の空に引き込まれていくような気がした

（『夢の続き』ジャンクション・ハーベスト、二〇〇四年）

十代の頃も六十代のいまも、これから自分がどれほどのものが書けるかなんてわからない。自分の才能を疑うことはしょっちゅうある。でもそんなことを思い悩んでも何かがわかってくるわけではない。もしかりに才能がなくて、書いてもつまらないものしかできないとしても、ぼくは生きているあいだにその能力のすべてを出しきって終わりたい。詩に書けることはすべて書いて終わりたい。こうしてこの生涯で、詩に惹かれ、詩を選んだのだから。

2018.12.2　横浜

個別包装の言葉　井坂洋子の詩

今日は、井坂洋子さん、佐々木安美さん、高橋千尋さんにゲストで来ていただきました。三人は「一個」という同人誌を出しています。井坂洋子さんの詩を三篇持ってきましたので、ご本人に朗読してもらおうと思います。井坂さんの詩については、すでにいろんな詩人や評論家の読み方があるけど、みなさんはそれぞれの読み方で、自分の読み方で読んでほしい。

既存の言葉では言い表せない想い

今日のためにぼくは、井坂さんの初期の詩集から最近の詩集まで読み返しました。溜息が出ました。詩を読んで溜息が出ることがあるんですね。この三篇は、みなさんが読んで、何かを受け止めてもらえるだろうというものを選んだつもりです。では最初の詩です。

☆

水のなかの小さな生物

頭をつきだして
駅付近の騒音を
鈍くあてかえす

確かめるようにはもう歩けないので
時折へちまのように揺れる
途中の花屋では
匂いのうすい束を求める
色は鮮やかなほどよい

病室を訪う前に
隠れるように狭いところに入る
誰も来ない店で

店主は昼の番組を見あげている
パイプを銜えている

呼吸に煙をいれるという
寂しい方便
ここは夢のなかより少し明るく
店の熱帯魚を目で追っているつもりが
水槽に映った自分の顔を
ぼんやり見ている

生まれおちてすぐ
裸の腕で抱きしめられた記憶は
私の脳のどのあたりに沈んでしまったのか
映る顔を
すみずみまで自分だと
まごうことなく　此処にいると
思えたことがない

私のまわりも
明るい灯に
色をあぶりだされているというのに

彼女はベッドのなか
体の運河である血管の
港のひとつに点滴の針をさされ
水門で
こまかな夢の泡を吐いていた
雲が垂れさがり
舌に錫をくるんでいる
鈍い天空が一日を支配していた

（『七月のひと房』栗売社、二〇一七年）

題名も含めて、詩全体が水槽のなかに入っているような、描かれている動きがどれも水のなかを漂っているような、ゆるやかな雰囲気を持った詩です。ゆっくりとしているのは動きだけでなく、自分の頭のなかをめぐる思いも同様です。ゆっくりだけど決して快い状態ではなく、何か重くて身の動きを軽快にさせてくれないものがあって（それがまさに水として喩えられています）しばられているような感じにも受け取れる。

内容は、知り合いの女性の見舞いに行こうとしていて、その行く先の人は、病状の深刻さが詩の初めから想像されるような書き方になっています。最寄りの駅に着いたところからこの詩は始まっていて、ふつうなら「駅について」とか「駅を降りた」と書くところですが、この詩では「頭をつきだして」と始まっています。すごいです。一語もおろそかにしないという覚悟が見えます。読むほうは、いきなり頭がこちらに突き出されたように感じる。ただごとでないと受け止めます。

四連目には「呼吸に煙をいれるという／寂しい方便」とあります。煙草を吸っている様子をこんなふうに書ける人はいません。「方便」という言葉は「手段」とか「必要なもの」という意味で使われています。でも単なる手段ではなくて、そこには後ろめたさも含まれているという意味も込めて「方便」と言っています。ここもすごい。詩を読んでいて誰かに指摘される前に、この行に振り向いてしまう感性を持っていたいですね。

それから「店の熱帯魚を目で追っているつもりが／水槽に映った自分の顔を／ぼんやり見ている」のところを読んでいると、ああそういうことってあるなと思います。そんなふうに思ってしまうということは、もう詩にとりこまれてしまっているわけです。ああそんなことがあるなと読んで感じることも、いざ自分で書けるかというとなかなか書けないものです。なぜ書けないのか、その距離を考えてみることも詩作にとっては大切です。

五連目で自分のことが語られます。自分が生まれた頃の記憶が書かれている。「生まれおちてすぐ／裸の腕で抱きしめられた記憶は／私の脳のどのあたりに沈んでしまったのか」は印象的な行です。きれいな表現だというだけでなくて、自分の根源を見つめようとする姿も見えてきます。ここを読むと、自分を抱きしめてくれるような関係を持っていた人が入院しているのかなと想像されます。過去には、それほど近しく付き合っていた友人が、いまは病で入院しているという、時間の残酷な推移に立ちつくす、そんな感じもします。

最終連、体中の血管を運河に喩えているところにも胸を打たれます。詩の初めから覆っていた暗鬱感はその運河の上の空にも分厚く漂っています。

この詩は大切な人の病を書いていますが、それがつらいとか悲しいとか直接的な言葉は決して使われてない。自分の動作や、途中の情景の描写ですべてを語っています。言葉で言い表せないものを書くのが詩であるのなら、この詩はまさにそのようにできている。既存の言葉では言い表せない想い、人が人の心を持つことの悲しみをどのように書くかをこの詩から学べます。目を凝らしてみても、どの一行も、どのひと言もありふれた日本語ではない。井坂さんが手塩にかけた日本語に満ちているという驚きを読んでください。

人生の曲がり角のような出来事を書く

次は「家宅」という詩です。

☆

家宅

電話が通じ
あたらしい表札もかけたが
誰を呼び寄せる気持だったのか
訪う人がない家は
体温計のように
新聞が深くささる
位置の決まらない道具類は
入口近くに積んでおく
そこを飛びこして部屋へ入り
脇へよけて　座り
ダンボールの上に茶わんや湯呑みを並べ
空になったひとつを与えると
こどもは喜んで中へもぐった

商店の前の
五十円で動く幼児用の乗物
ペンキで書いた兎やくまに
ビニールが被せてある
ひとつだけあいた乗物に
率先して
母親がこどもを片手で抱きかかえ
鋳型の中へ　ひょいと投げる
安っぽい音をたてて上下する
その音の退屈の方へ
見たくもないのにねじふせられる気が
いつも、する

（『GIGI』思潮社、一九八二年）

題名の「家宅」というのは「住居」、「家」のことです。「家宅侵入罪」というふうに使われます。どこか不穏なイメージを持ってしまうのは「家宅」という言葉の責任ではないけど、慣習とか社会での使われ方とかによる影響で言葉の意味がそちらのほうへ傾くということがあって、詩を書く者としては辞書に載っている意味だけではなく、そういう肌感覚も言葉に乗せていきたいと思います。

この詩は引越し後の様子が書かれています。「訪う人がない家は／体温計のように／新聞が深くささる」のところを読んで、ぼくはぐっときました。体温計を脇の下に入れたときの冷たさが感じられて、その冷たさが誰も訪ねてこない部屋のひんやりした空気感に通じている。「ダンボールの上に茶わんや湯呑みを並べ」というのも、先ほどの詩でも言ったけど、ああそういうことってあるなと思ってしまう。詩を書くって、作り出すのではなくて見出すことなんだということがこういうところからわかります。

そのあとの、単純に動く乗物に子どもを乗せているのを「母親」とわざわざ書いているところを見ると、私ではないらしい。「鋳型の中へ」というのも、どこか不穏な意味が含まれています。単に上下に動く乗物って、昔ありましたね。確かに小さな子には楽しいのでしょうが、そういう感覚から遠ざかって生きてきてしまった大人としては、単純な乗物を見て感じることはいろいろあります。

最後のところに「安っぽい」とか「退屈」とか「見たくもない」とか畳みかけるように否定的な言葉を並べているところは多くの人が同意するだろうと思います。同意するだけではなく、その上下する乗物が生きていることのすべてであるような、生まれてきたことの「安っぽさ」をも暗示しているのは言うまでもありません。

生まれてきて人が与えられた時間を過ごすことの、やるべきことをやって生きる責務を果たすことのつまらなさ。つまらなさという言葉では言い表せない分厚い感情をこの詩を読んでいると感じます。引越しという人生の曲がり角のような出来事の直後の様子を、とてもリアルに書ききってゆくことによって生そのものをあらためてつきつけられたような思いを味わうこと。書かれていることがそのまま映像になって読者の脳裏にくっきりと描き出される作品になっています。

抜きさしならない現実を書く

次は「だれか、」です。

☆

だれか、

まいまいず井戸を覗きこんだりしない
かたつむりのように
ぐるぐる
水が

落ちていく井戸の脇道
自転車に乗った頭は
左右に傾く昼の盆である

西多摩の家は
築地塀をはりめぐらせ
もう長いこと
胎内の音を探っている
目に見えぬ水が　柔らかに舞い
眠る父の
脳髄まで浸される
父は戻ってはこない　開いた口のなか
白髪の綱を
母と交替で降りていき
一晩中
父の眠りの火口を照らす
死にどころも生きどころも

束になって
冥《よみ》へ落ちていかないよう監視する
なにも映さぬ目玉が闇に浮くが
目を合わせたくない
ことばの縁をぎゅっと結び
奥の柱に縛りつける
父が　ではなくわたしが
獣のようだ　獣のままでいられる時間を
ローラーで引き伸ばし

まいまいず井戸のまわりで
だれか、
と声をあげる
反響もせずに声は
みな空気の小函にしまわれていった

（『箱入豹』思潮社、二〇〇三年）

「まいまいず」というのはカタツムリのことですが、ここでは「まいまいず井戸」でひとつの言葉です。カタツムリ状に掘った井戸のことで、井戸のまわりに通路がカタツムリのように巡っています。かりにその意味を知らなくても、「まいまいず井戸」という言葉の魅力に導かれてこの詩を読むことができます。

一連目、とにかくぐるぐる回ってゆく感覚と揺れている頭のことが書かれています。その巡る水、回る水、奥底への水が呼び水となって二連目のお父さんの眠りを浸しています。比喩によって遠巻きに語られていた状況を「父は戻ってはこない」で明確に説明しています。お父さんの生死の境目のときを書いた詩です。死へ向かう眠りの奥底を井戸に喩えて、「開いた口のなか／白髪の綱を／母と交替で降りてゆき」と書いています。すごいです。降りて行った井戸の底で綱から指を一本一本剝がして手を放すところまで想像してしまいます。

「死にどころも生きどころも」という言い方にも立ち止まります。「死にどころ」というのはよく使われます。死ぬのにふさわしい場所とか場合という意味です。「生きどころ」はその反対ですが、あまり使われません。そういった場所とか場合が一緒くたになって黄泉へ落ちてゆくというのは激しい描写です。その激しさをも押しとどめようとしている。「なにも映さぬ目玉が闇に浮くが／目を合わせたくない」というのも実感としてわかります。

最終連、再び「まいまいず井戸」が出てきます。ここまで読んできた人は、この井戸がお父さんの生死の境目であることを承知しています。「誰か、」とは、お父さんのことでしょうか、あるいは助けを求めた先の人のことでしょうか。あるいは誰でもない、単なる「誰か、」と獣のようにむき出しの生き物になった私から吐き出された言葉でしょうか。声が小函にしまわれるところを含めて、読者がそれぞれに解釈のできる終わり方です。

この詩でぼくが受け止めたのは、肉親の病や死を自分の悲しみや喪失感だけで書いていないということです。亡くなっていく人と失ってゆく人の壮絶な動きのなかでとらえている。肉親の死を、このように描くこともできるのかという驚きと感動をもって受け止めました。

教室に来ている人にもこれまで肉親の死をテーマに詩を書いている人がいました。この詩はとても学ぶところの多い詩です。

井坂さんの詩って、一筋縄ではいかなくて、どの一行にも思いが複雑に練りこまれています。言葉が選りすぐられている。個別包装の言葉、読めば読むほど奥へ行くことのできる言葉の構築物だと思います。ここに選んだ三篇だけではなくて、自分で詩集を買って一篇一篇じっくり読んでみてください。

2020.2.2　横浜

意味にこだわらない自由　佐々木安美の詩

佐々木さんの詩を読みましょう。佐々木さんと初めて会ったのは、一九八七年、一緒に「詩学」投稿欄の選者になったときでした。大きな声で「この詩、わかんないな」と笑いながら言い出す。とにかくなんでも正直に言ってしまう人でした。のちに「生き事」を始めたのは、生涯に一度でも佐々木さんと同人誌をやりたいと思ったからです。

詩集から詩集への飛躍

佐々木さんの詩についてぼくが言いたいのは、とにかく読んでみてください、ということです。読めばわかりますが、とても面白い、そしてとんでもなくうまい詩です。これほど高度な詩を書く人は日本にはそれほどいません。佐々木さんの現代詩文庫が出たばかりで、これまでの詩集が順番に載っています。

第一詩集の『棒杭』（私家版、一九八一年）は、詩を書くという純粋な情熱に向かってまっすぐに書かれた詩作品が多く並んでいます。この情熱を受け止めることも詩を読む楽しみではありますが、ぼくがとくに読んでもらいたいポイントは『棒杭』から次の詩集『虎のワッペン』（紫陽社、一九八四年）への飛躍です。

『虎のワッペン』では、もうすでに佐々木さんの個性がしっかりとできています。高度な抒情詩を次々に生み出している。この間の変わり方を目をよく凝らして読んでください。どうしたらこのように詩が輝き出すのか。どうしたらこんなに素敵な詩人ができ上がったのか。

遊んだ言葉が別の世界を創り出す

まずは「詩の変身」という長い作品です。『心のタカヒク』から。

☆

詩の変身

まっくらを漢字で書こうと思ったとき
真っ暗か
真暗か
どちらがよいのかわからなくなってしまった

小さな「っ」は
暗闇の中の小さな明かりのような
視覚的効果をもたらすような気がするし
真暗は
まくらと呼んでしまいたい
衝動に駆られるのだ
それで
それでぼくの詩は
まっくらという音から先に進めなくなって
まっくらまっくらまっくらと
余白に稚拙な輪をぐるぐる重ねて書いていると
あぶらののったかぶと虫の幼虫が
詩のまっくらの中を
あるいはときどき詩のまくらのもみがらの中を
這い回っているんじゃないかと思われてくる
幼虫は這い回って
脱糞と咀嚼を同時に繰り返しているのだろう

口がゴムのように
擦れ合っているのがわかる
（中略）
＊
鍋の中でドロを吐き
湯は踊る
まっくらくら
タニシらも踊るよ　ららら
メシ　メシ
メシヤのタタミ
ふるみそは真新しいカメの中に移されてさみし
ひらがなの音階から
メシヤの二階まで立ちこめるさみし
さみしみそは鍋の中で
沸騰するよ
＊
毛細管は闇の中から

透明な水を吸いあげているのだろうか
くらくら
呼ぶ声がするくらくらくら
毛細管の笛の音が
カラダのすみずみに響いてくるよ
胃の底も
腸のねじれもクビの骨も
笛の音を聞いているのか
ほそい枝には
カラダのカタチの
さみしいノウミソが垂れさがり
しずくをポタリポタリ
地上に落としている
思考を地の底に吸いこませているのだろう
アメ
ナメ
ナナメ

音を重ねて
いくんだよな
ほそい枝から
また笛の音
くらくら
呼ぶ声がするくらくらくら
さみしみそその歌の声かも

（『心のタカヒク』遠人社、一九九〇年）

とても長い詩ですが、一気に読めます。題名に「詩の変身」とあるように詩の表情が幾度も変わってゆきます。その変わり目はときに言葉遊びであったりします。言葉遊びがそれまでに書いてあることを曲げてしまう。曲がったあとは遊んだ言葉がそこから別の世界を広げていく。そういう構成になっています。

ただ、肝心なのは詩が時々に変身すること自体ではなく、どの言葉も生きて呼吸をしていることです。言葉遊びはただの遊びではなく真剣な遊びです。生きることの根元につながる遊びなのです。じつに美しくて、響きが魅力的で、どこまでも惹きつけられるような根本的な言葉の遊びです。

「まっくら」「メシヤのタタミ」「さみしみそ」「アメナメナナメ」。どこからこんな素敵な言葉が生まれてくるのでしょうか。いままで見たこともない不思議な言葉たちです。この詩を何度も読んで味わって、その味わいの根源を探してください。

連想というもののすごさ

次は「この世は雨がやみました」です。

☆

この世は雨がやみました

高架電車の窓から見える
大きな坐り地蔵の肩に
雀がとまっているのが見える
雀の小さなカラダの中に
いろんな光る歯車があり
キリキリ巻けるゼンマイがあり
チュンチュン
チュンチュン鳴くんでしょう

この世は雨がやみました
坐り地蔵を過ぎました
ビルの上には看板が
あの看板のきれいな漢字は
いったい誰が書いたんでしょう
おそらく白い服を着た
中国人だと思うけど
　墓地の
　余白あります
いまごろ狭い台所で
ギョーザの皮を伸ばしている
空晴れて
いろんな光る歯車があり
笑う声
空に見える
大きな顔
誰の

中でか
ゼンマイ巻いているんでしょう
それとも墓地の
余白でか
キリキリ
キリキリ
音がする

（『心のタカヒク』）

「雀の小さなカラダの中に／いろんな光る歯車があり」とあります。こんなのを読まされたら、もう何も言えなくなりますね。すごい詩です。それから「この世は雨がやみました」の意味と語呂のよさは一級品です。この詩を読んでいると、雨上がりのすがすがしさを感じるとともに、生きる勇気が出てきます。独特なリズムがそうさせてくれるのかもしれません。

この世のすべてをひとことで言い表してしまっているような詩です。こういう一行を書きたくてぼくらは頑張っているのですが、どうしても手が届きません。この詩では勝手な連想の面白さが際立っています。ビルの看板を見て漢字で書いてあるから中国人が書いたのかと思って、中国人だからギョーザを作っているだろうと勝手に思って、と。とてもいい加減で勝手な連想ですね（笑）。

この連想の自由さがこの詩ののびのびした感覚を生み出していて、それが生きることの勇気につながっていると思います。連想というもののすごさをこの詩から学ぶことができます。

意味にこだわらない

次は、「形見」です。

☆

形見

どこにあるのか
そのあばらや
あばらやかたぶら
月の光に照らされよ
湯あがりの
少年の湯気よ
とろけるような夢を流し
あなたとわたしを一人で作る

油なめ
少年の産毛は光り
夢に流れて死んでもいいわ
油なめ
首を伸ばし
ためいきついてあばらやの父
咳ひとつ
あぶらかたぶら帰らぬものを
あぶらかたぶら握って眠る

（『心のタカヒク』）

不思議な詩です。わけもわからずに惹きつけられます。変な言い方ですが、何が書いてあるのかまったく気にならない、歌のような詩です。この詩でも「詩の変身」にあったように魅力的な言葉を作っています。おそらく意味を考えすぎていては生まれない。「あばらやかたぶら」という言葉は、「あばらや」と「あぶらかだぶら」の二つの言葉をつなげたものだと思うのですが、こういうふうにつないでみると、こんなにも人を惹きつける言葉ができ上がるのかと溜息が出ます。

この詩を読んでいると、「意味にこだわらない詩」の本当の意味がわかる気がします。意味にこだわらない詩のほうが、意味にしがみついている詩より自由なんだと思います。詩の意味無意味、言葉の意味無意味について、この詩を読んで考えてみてください。

詩を読む恍惚

最後は「小説」という詩。

☆

小説

本の中で黒い傘をさしたまま、地下鉄の階段を下りていく。雨が、降っているのだ。ホームで待っていると、満員の電車のドアが開き、押されてわたしも人の中に埋まる。

親しい人が死んで
雨の中を歩いていく

湧き水を手ですくいとって

飲ませるところは
昨夜眠りに就く前に読んだ

ひらかれたまま伏せてある雨のページ。人の中で息を凝らし、眼を
閉じてわたしは揺れる。この傘をさしていきなさい。その人の父、
父としか、書かれていないその人が、彼女に傘を持たせたのだ。

（『新しい浮子　古い浮子』栗売社、二〇一〇年）

題に「小説」とあります。小説の内容と自分の行動が判別できないような描き方です。判別できないというよりも混じってしまっている。
雨は小説のなかにも小説の外にも降っているようです。雨を起点にして二つの世界が同時進行してゆくような不思議な湿り気を感じさせてくれる見事な詩です。なんでもかんでも明確に書ききることがよいことではないということを、この詩から学ぶことができます。

佐々木さんの詩を読んでいると、詩を読むことは言葉の意味を追っていくだけではないことがわかります。もっとずっと広くて深い世界だったことを気づかせてくれる。そして何よりも、詩を読むことの恍惚をしっかり受け取ることができます。

2020.2.2　横浜

気持ちの奥を描く　高橋千尋の絵と言葉

千尋さんとはこれまで何度かしか会っていません。というのも、知り合いになってすぐにぼくが蒸発してしまったから。それでもいろんな雑誌などで、千尋さんのカットを見ることがあって、絵を見るたびにどきりとしたり、可愛い絵だなと思ったりしていました。「可愛い」というのは、万感の思いを込めて言っています。

感性の奥底

このあいだ、一月十三日に佐々木さんと井坂さんと三人で千尋さんの個展を観に行ったのですが、とにかくすごかったです。一枚一枚に立ち止まらざるをえないものがあって、どこか自分の奥底をまざまざと見透かされたような気持ちになりました。どうしたらこんなふうに人の気持ちの奥を描くことができるのだろう。ぼくの詩の奥底と千尋さんの感性の奥底の井戸を深く掘ってゆけば、地下水のようなものでつながっている気がします。

そんなことを考えながら個展を観ました。絵そのものだけではなくて、絵についている題名にもひとつずつ打たれました。言葉に対するセンスと言えば安っぽくなってしまうけど、言葉に対する生半可でない覚悟のようなもの、言葉を選ぶことの危機感を直接、感じました。

次回、個展があったらみなさんもぜひ行ってください。詩を書いている人なら、つよく惹きつけられるものがあるし、たくさんのことを考えさせられます。

千尋さんの言葉と絵を収めた『いろいろいる』という本があります。この書名もなかなかすばらしいのですが、この本に、個展で見た絵や題名がいくつか出ていて嬉しくなりました。今日はそのうちのいくつかをご紹介しようかなと思います。もちろん絵を見てもらいながら読むのがいいのですが、みんなに配るほどないので文字だけを読みます。

言葉のでどころ

「今のいどころ」という詩があります。うなってしまうような題です。

☆

今のいどころ

牛のナクチャの
下じきになる。

どいてくれるまで、
もうしばらく
ここにいます。

（『いろいろいる』栗売社、二〇一四年）

いいですね。ナクチャってなんでしょうか。インドかどこかの言葉でしょうか。絵を見ると牛ですが、獅子舞の獅子のようにも見えます。下じきになるとさぞ重そうです。重そうですがどこか心地よさそうにも感じられます。そういうのってありますね。なぜだかわかりませんが適度な重さとか適度な圧迫感は、生きているものにとっては心地よく感じられます。

あるいは愛すべきものの重さは軽く感じられます。どかすのでなくてどいてくれるまでもうしばらくここにいる、というのも無理がなくていいです。この世の中、無理して頑張ってばかりだから、無理をしない人を見るとそれだけでほっとします。

「ナクチャ」の意味ですが、いま隣りにいる千尋さんに聞いたところ、インドの言葉で牛のことを意味しているのではなくて、日本語だそうです。「何々しなくちゃ」の「なくちゃ」だそうです。そうか「しなくちゃ」の「ナクチャ」なのかと感動をしてしまいました。「しなくちゃ、しなくちゃ、あれもしなくちゃ、これもしなくちゃ」と、ぼくらをあたふたさせている、その「ナクチャ」だったのか。「今のいどころ」って、なんて魅力的な言葉でしょうか。
次に「睡眠時の不覚」という詩です。不覚は「不覚をとる」の不覚です。

☆

睡眠時の不覚

寝ている間に
好き勝手なからだ。

鼻は「すました　かわいい　置物になりたいの」
目は「きちんと額に飾られたいの」
耳は「私たち　ぴったり寄り添って　蝶々みたいよ」

持ちぬしは　少し疲れる。

絵はもちろん、すました可愛い置物になった鼻と、きちんと額に飾られた目と、蝶々みたいに飛んでいる耳が描かれています。どれもいいなと思うのですが、ぼくがうなったのは「好き勝手なからだ」という言い方です。この言葉を思いついただけで詩人がひとりでき上がる、それほど見事な日本語です。みんなが使っている日本語ではなくて、千尋さんの日本語です。どれも面白くて全部読みたいのですが、そういうわけにもいかないので、もっと読みたい人はこの本を買ってください。

最後にもうひとつだけ読みます。「グリンピースハイ」です。ハイってどんな意味でしょうか。

☆

グリンピースハイ

グリンピースをむくと指が喜ぶ。
指がくすくす笑う。
ずっとこのまま　むき続けてもかまわない。
皮に触れるだけで充満の予感がする。
豆にたとえるならば、
毎日がグリンピースのように

ぴちんぴちんだったらいいかもしれない。
それに比べたらそら豆は中身が少しで皮ばっかりだ。
でも柔らかい　わたにくるまったような毎日もいいかもしれない。

あぁ、ほんとは
そんなこと　どっちでもいい。
グリンピースご飯はおいしい
ほんとにおいしい。
おいしくて走り出しそうだ。
私はきっと行方不明になる。

この詩でぼくが好きなのはとくに最後のところ。「ほんとにおいしい。／おいしくて走り出しそうだ。／私はきっと行方不明になる。」。あんまりおいしいとじっとしていられなくて、言葉なんかでそのおいしさを説明できなくて、走り出してしまう、というのもいいなと思うし、あっちこっちでたらめな方向へ走っているうちに行方不明になるっていうのもとてもおかしい。
絵がすごいのは言うまでもなく、言葉に触れるセンスがとにかくすばらしい。詩を書く人が見ればきっと参考になる本です。「今のいどころ」という言葉がありましたが、千尋さんの

「言葉のでどころ」に目を凝らしてみるのも、この本のよい鑑賞の仕方でしょう。

2020.2.2　横浜

わくわくするような詩　稲川方人と柴田千晶

居場所がない

今日は「わくわくするような詩」の話です。

ぼくは勤めをやめてもうすぐ二年になる。会社をやめた当初は、平日の昼間に外を歩くのが恥ずかしくて、自分の居場所がなかった。それでも二年もたつとだんだん慣れてくる。勤めに行っていない自分、つまりは社会の生産機構から外れた余計な生き物としての自分に慣れてくる。どこかの会社の部長だったりマネージャーだったりという自分よりも、肩書きも地位も何もないほうが自分らしく感じられてくる。いろんなものを一枚ずつめくって、そこに自分の芯があったことに気づく。その芯が歩いている感じがする。

毎日が休みで、どこに行くのも自由だけど、最近は無理に出かけない。朝起きて細々したことを済ませたら、すぐに自分のための時間ができる。いつもそれなりに書くべき原稿があって、おもむろにそれに向かう。娘が演奏家なので、家には山ほどＣＤがあって、ほとんどがクラシックだけど、それを眺めていて突然、そう言えば、ぼくはもうすぐ寿命を迎えるんだなと思った。そして、家にはこれだけたくさんのCDが並んでいるけど、そのほぼすべてを聴いたことがないと気づいた。このまま自分の家にあるCDを聴かずに死んでしまうのはもったいない。この歳になると、自分にとってもったいないこと、やり残したことは何かって考えるようになる。だから最近は、毎朝一枚ずつ聴いている。聴いているというよりも音楽を流しながら原稿を書いている。出かけないけど、喫茶店で原稿を書いているのと同じになる。

みっともない自分

で、朝からクラシック音楽を聴いてコーヒーを脇に置いて原稿を書いている。けど、そういうのって、なんか、かっこつけた話でしょう。自分はこんなことをしているよって言って、嘘は言ってないけど、でもホントのことも言っていない。つまりそういうことを人に話すって、単に見られ方を気にしているだけで、物事の伝達ということで考えるとなんでもない。自分の何も伝えていない。

じゃあ本当の自分って何かと言うと、「ろくでもない自分」なわけ。ろくでもない自分を話すことがたぶん本当のことに近づく。詩を書くって、ろくでもない自分をさらすことでしかない。ろくでもないから、ろくなことを考えない。そのろくでもないことしか考えない自分のことを書くのが詩なんだ。ろくでもないのにカッコつけるみっともなさ。そのみっともない自分のみっともなさを大事にしたい。みっともない、ろくでもないからこそ、自分というものは考える価値があるし、見つめる価値がある。ろくでもないから面白いし、めぐりめぐって生きていることに興味が湧いてくる。自分なりの深みを求めることができる。かっこつけた自分を書くことじゃない。

すぐれた詩っていうのは、ありふれていない詩なのね。ありふれていないというのは一般的じゃないということ。一般的な詩、つまり誰もが感じることを誰もが使う日本語で書いた詩。そういう詩は、書いた本人がそれでかまわないと思うならそれでいいけど、いざ人に見せるとなるとつまらない、ありふれた詩になって、ゆるい輪ゴムをかけてひと括りにされてしまう。ではありふれていない詩というのは何かと言うと、一線を越えた詩なんだね。

詩を書くときには、ここまでは書くけど、これ以上深入りするとえげつなくなる、露出が多くなる、自分の知性が疑われる、品性も疑われる、かっこつかない、みっともない、だめな自分がさらけ出される、恥ずかしい、ろくでもないことを考えていることがバレる。こういう一線まで来るとやばいと感じて、たいていの人は引き返して、またカッコつけて詩を書き始める。見栄が顔を出す。朝はクラシックを聴きながら原稿を書いてますなんて言い始める。

でもすぐれた詩を書くには、見栄なんかはっているヒマはない。すぐれた詩を書く人は、腹の底で覚悟が決まっている。一線を越えても書き続けることができる、あるいはその一線がどこにあるのかを知っている。ふつうの人が書かないことまで書いてしまう。そうすると、すぐれた詩になる可能性が出てくる。もちろん、一線を越えれば必ずすぐれた詩になるというほど世の中、甘くはない。その、可能性が出てくるというだけ。

ただなんでも露悪的に書けばいいってわけじゃない。人が書かない微妙なポイントを探し当てて、そのちょっとしたかけらを書くことによって表現が鮮やかさを増す。たとえば長嶋南子さんの詩を読むと、歳をとったり、職を失ったり、ひとりだったり、亡くなった亭主や息子、犬のことなど書いてある内容は、他の人とたいして違わない。でも詩の一行一行を見てみると、明らかに一線を越えている。みっともないということを突き抜けている。覚悟を決めたら、カッコつけたことを書いていてはダメ。

男女の間もそうでしょう。「あなたが好きです」なんて澄まして言っているうちは、ふられるわけ。よっぽどいい男なら別だけど、たいていはそんなの相手に全然通じない。ふつうの言葉、ただの日本語だから。言葉に血が通っていない、覚悟ができていないからダメなの。カッコつけているうちはダメ。この人しかいないと感じたら、もっとせっぱつまって自分はこんなにどうしようもない人間だけど、というところをさらけ出して、それでも一度きりの人生をあなたとやっていきたいんだ、あなたとならお互いを尊重し合ってやってゆける、あなたのためならなんでもするから、一緒に生きていってもらえないかと、はいつくばって心底からぎりぎり訴えないと人を愛する気持ちなんて伝わらない。詩も同じ。人生を賭して詩を書くつもりなら、自分の一番弱いところをさらけ出す覚悟が必要。その覚悟が人の胸を打つ。

人をうらやむ心

最初の、みっともない自分というところに戻りたいと思うんだけど、みっともなさってほかにもある。どういうときかというと、詩を読んでいるときのみっともなさ。人の詩集を読んでることとって、つまらないものはがっくりして読み捨てて、いいものはすごいと思って、感動して評価して人に勧めてってそんなところだと思うけど、それってすべてが本当ではない。本当のところは、すぐれた詩集に出会うとすごいな、いいなと思うそばにちょっとした嫉妬が湧いてくる。少し頭にもくる。

なんで自分でない人がこんなにすごい詩を書くんだって惨めな八つ当たりをしたくなる。そういうみっともない自分を少し抱えつつ詩を読んでいるわけね。小説やなんかと違うのは、詩って読む人はほとんど書く人でしょう。だから読むという行為が単純な読書じゃない。つまり、詩を読むという行為は単なる鑑賞ではなくて、読みながら学んでもいる、戦ってもいる、うらやましく思ったりもする。どうしてこんなにすごい詩を自分が書かなかったのだろうと苦しみもする。そういうみっともない自分がつねにいる。

そうやって人をうらやましがったりねたましく思ったりというのは必ずしも悪いことじゃない。人を尊敬するっていうのはその人になれない自分を潔く認めるっていうことでしょう。つまり嫉妬しながら読む詩ほど自分を奮い立たせてくれるものはないし、勉強にもなる。意地の悪い自分だけど、その奥では謙虚にならざるをえない。

みっともない自分を受け入れて、認めて、自分のためになる方向へもっていけるように道筋を作ってあげることが大事。うらやましいと思っているだけで一生をだらしなく終えるのか、自分もそういうのが少しでも書けるようになるために真摯に学ぼうとするのか、そこが分かれ道だと思う。みっともない自分を知るということは、みっともなくない自分へ動き出すということでもあると思う。自分をコントロールする。コントロールするためには、おのれ自身を知る。おのれ自身を知るために詩を書いているのだと思う。

おのれを知る

おのれ自身を知るということで思い出す一冊の本がある。川又千秋の『幻詩狩り』（東京創元社）という本。どこでも手に入る本だから知っている人もいると思うけど、ＳＦ小説で、軽い読みもの。ぼくはこういうのは滅多に読まなくて、そんな時間があったら、まだ読めてない詩集を読んでいたいと思うけど、この小説は言葉の力、言葉の魅力について書いてあると広告が出ていて、それに惹かれて昔買って読んだ。内容を知らない人もいるだろうから簡単に説明します。

第二次世界大戦の頃のアンドレ・ブルトンが前半の主人公。アンドレ・ブルトンってご存知のようにシュルレアリズムの親玉。戦争で、身が危険になって、アメリカに逃げていた頃のことが書いてある。ある中国人の青年が詩を一篇持ってきて、ブルトンに見せる。その詩があまりにすごいのでブルトンは驚愕する。何がすごいって、自分の思考がその詩に支配されてしまう。言葉ってこんなことができるのかと思うほど精神に食いこんでくる。つまりこれほど人の考えを揺すぶる言葉というものはもはや武器ではないか。それで言葉というものが持つ影響力とは何かとブルトンは考える。

戦争をしている相手の国にその人の考えに食いこむような言葉を読ませて、たとえば戦意を失わせることにも使えるし、投降したいと思わせることもできる。まぎれもなく武器のひとつになる。言葉は武器、あるいは麻薬のようなもの。読んだ人をダメにすることもできる。言葉の力とは何かっていうことがこの小説には書かれている。

この青年の二作目というのがあって、それが「鏡」という詩。「鏡」という題の詩って珍しくない。ぼくも書いたことがある。でもこの青年が書いた「鏡」は、鏡について書いた詩ではなくて鏡そのものになった詩なんです。つまり詩が鏡で、読んだ人が映っている。見た目が映っているだけじゃなくて自分のすべてが映っている。内面の汚ないところ、それこそみっともないところ、嫉妬心……。

この詩を読んだ人はいやでも自分のすべてが見えてしまう。隅々までさらけ出される。とても恐ろしい詩、できたら読みたくないという詩。鏡そのものの詩。できたら読みたくない詩って、それだけつよく惹きつけられる詩とも言える。この青年は、生涯に三篇の詩を書くんだけど、さっき言ったように、一篇目は人を導いてしまう詩、二篇目は鏡の詩。

今日の話とは直接関係ないけど、ここまで話したからついでに言うと、三篇目は「時間」の詩です。時間のなんたるかがわかってしまう詩。青年は、この三つ目の詩を書き上げた翌日、ブルトンに会う約束をしていた。でもその約束は守れなかった。なぜなら書き上げたところで亡くなってしまったから。「時間とは何か」がわかるということは、時々刻々、時間に刺し貫かれているようなもので、つまり、今と今でないときとの差異もわかってしまう。いま生きている意味も明確になってしまって、それで時間が明確に見えている世界で生きてなんていられなくなって、そのまま時間の果てでもある「死ぬ」ことにつながってゆく。この「時間」も詩の題材としてはよく扱われる。昔のことをノスタルジックに書くのもそうだし、幼少期の思い出を書くのも時間を書いていると言っていいかもしれない。

心揺さぶる詩を目指す

この小説に出てくる三つの詩は、それぞれがいまの詩が目指しているものと重なってくる。

一篇目は、人の気持ちを動かす詩とは何か。

二篇目は、自分をさらけ出す詩とは何か。

三篇目は、過去に思いを馳せる詩とは何か。

でも、ここで出てくる中国の青年が書いている詩と、いま自分が書いている詩は同じだろうかと考えると、やっぱり違う。どこが違うかと言うと、詩に託している思いの量が違う。熱量が違う。この小説に書かれているほどの言葉の影響力をいまのぼくらは信じていない。詩を書くことによって、もっとささやかな気持ちの揺れを読者に与えようとはしているけれども、読者をぐらぐら揺さぶるほどの詩を書こうとはしていない。ぼくが子どものときに考えていた詩はもっとすごいものだった。読んだら涙がとめどなく出てくる詩、しばらく椅子から立ち上がれなくなる詩、そういうのを書きたいと思った。それが大人になるに従って、いつの間にか詩に求めるものが小さくなってしまった。小さく求めることが悪いとは言わないけど、それだけではないのかなって。それだけではないことを思い出したい。詩に期待したい。

ぼくたちはいま、詩にできるのはこれくらいじゃないかって、あらかじめ限界を作ってはいないだろうか。ほどほどの詩でいいやと思っていないだろうか。詩って、もっとできることがあるんじゃないか。もっと人を突き動かすものがあるんじゃないか。わくわくするものが欲しい。たとえば、詩集が机の上にあったら、読む前から楽しみで仕方がなくなるような、震える気持ちが湧いてくるような感じ。そういうのがもっとあってもいい。

詩の構成力

じゃあ、そのわくわくするような詩ってなんなのっていうことになる。いろんなことが考えられるけど今日はひとつの例を示したい。

短くて切れ味の鋭い、あるいは断面の光った詩もいいけど、それだけでなくしっかりした構成を持った、その構成そのものにうっとりとするような長編詩がもっとあってもいい。

ひとつの例は、読んだことのある人もいると思うけど、稲川方人の『アミとわたし』という詩集。「ランドセラ王」という人がいて、つまりは王様なんだけど、その王様の旅行記で『ランドセラ王旅行記』というのがあって、それをわたしとアミが読んでゆくという連作長編詩。だから本の外と内と、二重に詩が進んでいて、その関係が読むということ、書くことの意味を考えさせてくれる。とは言うものの、この詩集のなかでじつはアミとわたしはそれほど『ランドセラ王旅行記』を読んでいない。むしろ、読んでいない時間に何を考え、どこへ行ったかが奔放に描かれていてその読んでいない変な日常の旅行記を読者は読まされることになる。

さらに稲川さんはここで一線を越えるような書き方もしている。粗野な、なれなれしい語り言葉を多用している。「おたんこなす」とかいう言葉が突然出てくる。それがすごく新鮮に受け止められる。そういうのって、それこそシュルレアリスムの頃に、「ユビュ王」という戯曲があったけど、あのなかの意図的に乱暴に発せられた言葉遣いを思い出させる。

この稲川さんの詩集はそういった語り口調の愉快さとともに、この連作詩全体が構築している世界をも読み進めることのできる、そういう構図になっている。だから惹かれる。ひとつ読んでみます。

☆

アミとわたし（抄）

アミ、
わたしは言おうと思うのだ
ひとを恋するものにも
にせのこころがあって
大きな建物の避雷針に降る
雨を見上げながら
ひとを恋するものたちの
にせのこころが濡れている午後
アミ、誰だって
そんなふうに濡れて
十や二十のにせのこころに
安心するんだってば
ときどき自分の横顔を見るために

夢のなかで
人は横たわるし
死ぬにしても
眠るにしても
人は横たわって
アミ、どうせ
あまり変わりはしない
夢を見るんだってば

（『アミとわたし』書肆山田、一九八八年）

稲川さんの詩を読んでいると、言葉のひとつひとつが途方に暮れていると感じてしまう。むき出しにされて言葉のなんたるかを奪われてしまっている。だからすごく寂しい気持ちになる。どのようにわたしは使われるのでしょうと、あらゆる言葉が上目遣いに人を待っている。そんな感じがする。了解事項が何もない世界でものを言おうとしている。それが稲川さんの詩なのだなと思うわけです。

いま書かれている長編詩

それからもうひとつは、まさにこの教室でいま書かれ続けている長編詩です。柴田千晶さんの連作詩。自宅の床に親を埋めたまま暮らしている女性のことを書いている。こないだＮＨＫのドキュメンタリーで「在宅死」のことをやっていました。病院で亡くなるのと違って自宅で死ぬと、どこか日常の時間がそのまま連続しているわけで、死んだ人がそこにいるだけであとは昨日と何も変わらない。

本来なら、それからお医者さんに証明書を書いてもらって、葬儀屋へ電話して、親戚に連絡して、アドレス帳から友人を探して連絡して、死亡通知をお役所に出して、戒名をつけてもらって、お葬式をやって、送る言葉を人前で話して、焼いて、納骨をして、とかなんとかいろんなことをやっていかなきゃならないわけだけど。

たとえば自宅のいつもの変わりばえのしない時間のなかで、身内の死をひとりで抱えた人は、そのことを黙っているだけでこの詩の状況におちいることになる。そのハードルって思っているほど高くないのかもしれない。むしろ、いざ立ち上がって葬儀屋の電話番号を調べたり、そこへ電話していないままでしたこともないような会話をしたりということよりも、誰にも言わないでそのままにすることのほうがずっと自然に感じる。

つまり、何かをやったからではなくて、何もやらないでいることが大変な事態を引き起こしてしまう。やらなかったから犯罪になる。その大変な事態ということが社会的には大変でも、個人としてはたいしたことではないと、とりようによってはとれてしまう。それって充分にありうるなと思うわけ。もちろんいけないことだけどね。そういう犯すつもりもなかったのに犯してしまった犯罪に気持ちが追い立てられるように生きている女性のことがこの詩では克明に描かれている。この連作詩の登場人物一覧を載せておいたので見てください。

☆連作の登場人物

あたし（物流倉庫や老人介護施設などで働いている）
母親（ミイラ化してあたしの家の床下に安置されている）
赤居洋二（西川燃料店の作業員）
美也子（ニュータウン白鷺が丘の人妻）
福島映子（逃走中の謎の女）
相川のおばさん（母親が働いていた自動車部品工場の奥さん）
ビニールおばさん（震災の後、どこからか流れついた老女の浮浪者）
大家（美也子と映子が暮らしていたアパートの大家）
神野（アパートの住人）
ミツコさん（喜楽苑の入居者）
マサミさん（ミツコさんの娘）
おやじさん（西川燃料店の経営者）

多江さん（その未亡人）
千香（多江の娘）

これらの登場人物が連作詩のあちこちに出てきて、生きている人と死んでいる人が交差して触れ合って複雑に絡み合う。時間軸もしっかりと入っていて、肉親とは何か、生きるとは何かが迫力を持った詩行とともに書かれている。それぞれの言葉の切れ味が担保されつつ、さらに個々の詩が大きな建築物の一部であるような詩。読者は、一篇一篇詩の完成度を堪能しながら、同時に壮大な建築物を見上げる眼差しを持てる。そういう詩になっている。

この詩がいつか完成したらすごい詩集になるだろうと思う。読む前からわくわくさせてくれる詩集になるはず。ぼくたちはこの教室で、まさにその詩とともに時間を過ごすことができているわけで、すごく幸せだと思う。長いので初めのところだけを読んでみます。残りはあとで読んでみてください。この作品は昨年八月に教室に持ってきてくれたscene12です。

☆

ミツコさん　scene12（抄）

パタカラ　パタカラ　パタカラパタカラパタカラ……肉を叩

く音がしていた。302号室のミツコさんの部屋から肉を叩くような音がしていた。てのひらでびしっびしっとたぶん太もものあたりをだれかが叩いている。今、カーテンをふいに開けたらわかるだろう。だれが何をしていたのか。喜楽苑302号室の便の臭いが充満する部屋でミツコさんはだれかに叩かれている。そう思っていたのにあたしはカーテンを開けることができなかった。

パタカラ　パタカラ　パタカラパタカラパタカラ……
ミツコさんを車椅子に乗せて
海沿いの道をゆく

かあさんを叩いたことはなかったけれど、あの介護生活があと十年も続いていたらあたしはかあさんを怒鳴ったり叩いたりしてしまったかもしれない。そんなことにならないうちにかあさんはあっけなく死んでしまった。どろどろに疲れて、うたた寝しているうちにあたしのとなりでかあさんは冷たくなっていた。どうしてかあさんをそのままにしてしまったのか……だってもうかあさんはかちかちだったし救急車を呼んでもだめだって思ったし警察とか呼ぶきもちになれなかったしとなりの奥さんとか従姉とかに電話してどうしたらいいか聞いてみればよかったのかもしれないけど、あたし、かあさんが死んだって思いたくなかったんだと思う。そのままずぅっと。今日までずっと。

パタカラ　パタカラ　パタカラパタカラパタカラ……ミツコさんとあたしはどこへ行ったらいいのだろう。あたしがミツコさんを連れ出したことときっともうばれている。喜楽苑には戻れない。あたしの家にも帰れない。だってかあさんが怒るから。（あたしの身代わりを連れてきて、あんたはあたしを忘れるつもりだね。）台所の床下で家魂になったかあさんはきっとあたしをなじるだろう。

（マサミさん　わたしがなにもできなくてごめんなさい。

（マサミさん　わたしはどうすればよかったの。

今日の話をまとめると、せっかく書くのだから、小さいところで満足せず、いま書いているものよりもさらに困難な詩の可能性にも挑戦してみよう。カッコつけずに詩を書いてみようということ。詩にもっとわくわくしてみたいですよね。

2019.3.3　横浜

詩でしか書けないものを書く　松井啓子と阿部恭久

今日の話を始める前に、「現代詩手帖」二〇一九年四月号の特集「これから詩を読み、書く人のための現代詩入門」の話をします。まさにこれから詩を書こうかなと思っている人や書き始めたばかりの人はぜひ読んでください。ただぼーっといい詩が書けないかなと考えているよりも、やっぱり何かしらインプットがあったほうが自分の考えもまとまりやすくなるし、詩についての文章を読んでいると無性に詩が書きたくなる。そういうものですから。

詩が書けないとき

詩が書けないときってあるもので、そういうときはホントに何も思いつかないけど、その理由はさまざま。自分に刺激を与えるのをさぼっている場合もある。自分のなかの「ものを作りたい」という思いを立ち上がらせるための努力をしていない。

詩をたくさん書いている人をうらやましく思うことがある。自分はああいうふうにたくさんは書けないと思ってしまう。でもそんなことはなくて、誰でもたくさんの詩が書けるはず。

変な言い方だけど、詩をたくさん書いている人が、たくさん書ける。たくさん書くから、次の詩ができるわけ。めったに詩を書かない人がいざ書こうとしても、重い車両が動き出すときみたいにすごくエネルギーがいる。でもいつも全力で書いている人って、いま書き終えた詩が次の詩の発想を生み出してくれるから、次の詩が容易にできてしまう。あるいは、最近すでに書こうと思ってうまくいかなかった発想の元が書き損じでたくさん残っているから、そこから別の詩ができる。

「現代詩手帖」には、ぼくも「詩にかんするQ&A」という文章を書いているから読んでもらいたいんだけど、あと、昨年この教室にゲストで来てくれた峯澤典子さんが詩の入門書を何冊か紹介している。すごく参考になると思います。入門書って著者が言うことも参考になるけど、そこで引用されている詩がぐいぐい入ってくることもある。なぜかわからないけど、詩をそのままを見せられるよりも輝いてみえる場合もある。引用された詩に感動して詩の読み方の間口が広がる、受け止め方がわかってくる。そこから詩の秘密をかいま見ることができる。

決めつけない

三月の初め頃のフェイスブックに、こんな文章を書きました。

現代詩は
ある程度の分かりにくさがなければ
ダメなんでしょうか

こういう
まっすぐな質問を受けるたびに
途方もない悲しみに襲われる

いったい
どこのだれが
素直に詩を書こうとしている人を
こんなことで
悩ませてしまうことになったのだろう

そんなことは
もちろんない
ない!

ぼくにしては珍しくビックリマークをつけたりして強調した。こういう文章を載せるとそれなりに「いいね」の反応が来て、このぼくの言葉を引用して自分の考えをSNSに書く人もいる。それはかまわないんだけど、気になるのがこの文章に「そうだ、その通りだ」と同意を示したあとで「だから現代詩はもっとわかりやすくなければだめだ。いまの現代詩はだめだ。もっと読者がわかるものにすべきだ」と言い出す人が必ずいる。「現代詩の名前のある詩人たちは、あるいは詩壇にいる人たちは自分たちだけが選ばれた人であるかのようにふるまっていて、鼻持ちならず、わけのわからないことを仲間内でほめあっていて当の詩からは遠ざかっている」。

つまりそういう考え方。そういう考え方をしている人って、結構いるんじゃないかと思う。人が言うことって、全部が正しいことがないように全部が間違っているわけでもない。こういうことを思ったり言ったりすること自体はありうる。ここまで過激ではなくてもこの意見に賛同する人はたくさんいると思う。別にそう思うのはかまわないし、個人の見解だからいろいろあっていい。これは正しいとか間違っているとかの判定をぼくが下せるわけでもない。

でも、ぼくの文章が舌足らずだからそういうふうに誤解されるのかもしれないけど、ぼくは別に、現代詩は難しいからもっと易しくすべきだとは言ってない。つまり、ぼくが言っているのは「現代詩は、わかりにくくなければだめだという決めつけは正しくない」と言っているだけなんです。「現代詩はわかりやすくてもいいんだよ」と言っているだけで「現代詩はわかりやすく書かれるべきだ」とは言っていない。

「わかりやすい」とは何か

それからもっと考えるなら「わかりやすい」って何かということになる。ただ安易に楽をすることではないはず。幼児化することでもない。「わかりやすい詩」っていう言葉は、それほど単純な言葉ではないと思う。わかりやすいことほど難しいことはない。人が書いたものをわかるっていったいどういうことかという問題を慎重に考えたい。

そうすると、わかりづらい詩のいじらしさやかわいらしさも見えてくる。わりづらい詩にもいろいろあるはず。わかりづらい詩にも、うっとりさせてくれるわかりづらさと、中身の空っぽなわかりづらさがある。わかりやすい詩にも上出来なのと、くだらないのがあるように。

極端に言えば、どんなに平易な言葉で平易な内容の詩を書いても全部をわかってもらえるわけじゃない。あるいは全部をわかってもらうことが作品にとって幸せなことかどうかも疑問。場合によってはわかってもらえない部分があるからこそ、詩の全体が伝わることもある。

あと、書いた本人だってどこまでその詩がわかっているかわからない。書かれた詩と読者のあいだに理解の溝があるように、書いた詩と作者のあいだにも溝がある。創作物には二つ飛び越えなきゃいけない溝があるわけで、むしろそれがあるからこそ、たまに作者の能力を超えたものができ上がったり読者を打ちのめすようなものになったりする。単にわかるかわからないかで物事を判断できるのは、会社の仕事とか友人との会話とか詩の外の世界。詩の世界ではそうではない。詩は、そういうことで区分けすべきではない。

まずひとつの詩がある。その詩によってどのように読まれるべきか、詩の可能性が決まってくる。ひとつひとつの詩によってわかるとはどういうことなのかの定義がその都度決まる。それまでに書かれた詩をカテゴリー別に分けて、どのカテゴリーを支持するとかしないとかそういうものじゃない。詩とはこういうもの→こうあるべき→こういう詩を書く、という順序じゃない。まず詩がひとつ生まれる。それからその詩の読み方がおそるおそるでき上がる。だから現代詩はわかりやすくあるべきだなんて言ったところで何も生まれない。

詩を書きたいという止むに止まれぬ思いが自分のなかに湧いて作品を作り上げる。その過程ではあくまでも自分の思いを自分の言葉でしっかりと作り上げてゆくことだけを考える。それによってその人の個性や言葉に対するそれまでに培ってきた方法が注ぎこまれるわけで、自分が書けるのはこれしかないというものを能力の先っぽまで使って書いていればいい。それが結果的にどこまで読者にたどり着けるかということ。

わかりやすい詩しか受けつけないという読者がいたとしても、そういう人のために詩を書こうとする必要はないと思う。どういう詩を書くかは作者個別の問題。むしろ人の思いに喧嘩をふっかけるような詩を書きたいと思うのも自由。自由にやっていい。その詩のわかりやすさについて、あとでいろんな人が感じたり、話したりすることはあるだろうけど、それはそれだけのこと。最初から、わかりやすい詩を書こうなんて思わないこと。最上の詩を書いたら、それがわかりやすいものだったということはあるかもしれないけれども。

読者を無理に増やす必要はない

わかりやすさの話につながるけど、詩はもっと多くの人に読まれるべきだという考え方がある。昔からある。ぼくはあえてその意見に反対はしないけど、じゃあどうしようかということを考えると、なんか面倒くさくなっちゃう。詩をふだん読まない人に詩を無理に読ませて詩はこんなに面白いものですよと説得することに、むなしいものを感じてしまう。

詩というものをハナから受けつけない人もたくさんいて、そういう人に詩を読んでもらおうとしても無理。一方、たとえば学生時代に詩を読んでいたけど、社会に出て、忙しい毎日にあたふたするばかりでいまは詩なんて遠くにあるという人もいる。ただ新聞なんかでたまに有名な詩人の詩を読めばそれなりに目を通すし、いいなと思う。そういう人に詩をもっと勧めたい気もする。でも、ぼくはそういう人の目の前に詩集を持っていきたいと思わない。何も勧めたくない。

忙しい毎日のなかでたまに新聞で詩を目にしてそれでいいなら、その人はそれでいいんだと思う。とやかく言うべきでない。手をこっちへ引っぱらなくてもいい。その人が生活のなかで何を求めているかなんてわからないし、その人が自分なりに選んで生きていけばいい。

詩に惹かれて詩を読み、書こうとする人は、他人が働きかけなくても自分から近づいてくる。詩の言葉を欲しいと思っている人は自分でとことこ歩いて一冊の詩集へ向かってくる。面倒くさいことを自分でするようになって、やっとその人にとってそれがかけがえのないものだということがわかってくる。

たくさん売れる詩集

わかりやすいというか、人口に膾炙した詩集で思い浮かべるのが、柴田トヨの『くじけないで』（飛鳥新社）。ある時点で一六八万部売れたとか言われているから、いまではもっと売れているでしょう。

「あなたもくじけずに」というメッセージは確かにわかりやすいです。ただ、この詩集はこれだけ売れたからすごいとか、現代詩はこういうふうに書かないからだめだとは思わない。もちろんこういうのもあっていいと思う。こういう詩が一六八万人の人の心に入りこんで感動を与えたこと、元気のない人の背中を優しく押したのも本当だし、その事実はきちんと受け止めたい。ちなみにこの詩集が話題になったのは二〇一一年頃のことだと思うけど、その頃ぼくは「現代詩手帖」の詩集評を担当していてこの『くじけないで』もとり上げた。この詩集がなぜ人の気持ちをとらえたかということは立ち止まって考えてもいいと思ったから。

この詩はすべてしっかり柴田さんの言葉でできている。それから必ずしも自分のことばかり書いているわけではない。この詩を読んでいる多くの人のこともしっかりと考えている。そういうところは学ばなきゃいけないと思う。

「鳩よ！」の試みと意味

もうひとつ、「鳩よ！」という雑誌のことを話したいと思います。一九八三年から二〇〇二年まで「マガジンハウス」から出ていた月刊誌。「an・an」や「Hanako」や「クロワッサン」を出しているマガジンハウスの文芸誌です。それまで詩は、現代詩の雑誌にしか載っていなかったのに、「鳩よ！」は現代詩をとり上げた。どこの大手の出版社もやらない現代詩の雑誌を始めた。それも詩人の写真を表紙に使ったり、詩人の行きつけの店を紹介したり、詩人の趣味をとり上げたりしていた。

当時、「現代詩手帖」に書いている人が「鳩よ！」にも書いていた。ふつうの本屋さんの店頭に現代詩の雑誌が平積みで売られた。奇跡のような出来事だった。その平積みで売られている雑誌の表紙に、スマップや嵐ではなくて詩人の写真が載っていたりした。読者も戸惑ったけど詩人たちも戸惑った。だってそんなに華やかなところに出たことがなかったから。荒川洋治がそのことを「詩は僻地である。僻地であるがゆえに観光地にされてしまった」と言っていたけど、まさにそんな感じだった。

でも悲しいかな、というか予想通りというか、「鳩よ！」は途中から徐々に変わっていった。作詞家の特集だったり美空ひばりだったり、もう少し大衆向けの特集を組むように方針転換した。それはたぶん単純に売れなかったからだと思う。ぼくは個人的にこういう冒険をしたマガジンハウスをすごい出版社だと思っている。雑誌としても面白かったし、それでいて決して表面的な詩の取り扱いではなかった。

でも詩人のほうがそれだけの、こういう雑誌に堪えるだけの器用さを持っていなかった。晴れやかな場所では、やっぱり詩人は素人みたいなものなんだと感じた。対応力がない。詩以外にできることがあまりない。それゆえの詩人なのかもしれないけど。

でも、この「鳩よ！」の試みはいろいろ考えさせてくれることがあった。つまりこの「鳩よ！」こそが、さっき話した「詩というものはすばらしいからもっと多くの人に読んでもらうべきだ」という考え方を正面から堂々と実践して見せてくれた。そういう冒険というか試みをしてくれた。言うだけではなくて、そういうことをしてくれた人とか企業なんてそれまでなかったから、とても貴重な雑誌だったといまになって思う。

二人の詩に共通するもの

その「鳩よ！」にテニスをしている二人の詩人が載っていたことがあった。というのも昔、阿部恭久さんと話をしていたときに「「鳩よ！」の企画で松井さんとテニスをしたことがある」

と言っていたから。その言葉が妙に記憶に残っていた。それでウチの本棚を探してみたらありました。「テニスボーイ阿部恭久とテニスガール松井啓子の、テニスのあとは、ことばのラリー。」っていう記事。

読んでみるとほとんど二人でテニスのことばかり話しているんだけど、詩のことにもちょっと触れていて、松井さんがこんなことを言っている。「朔太郎って意外に明るいの。明るいっていっては変だけど、コトバがとても軽くしてあるのが好きです。コトバ追いかける、テニスもボール打ってるのが好きなんです」。まあなんともあっけらかんとして気持ちのいい発言なんですけど。

で、現代詩の雑誌でテニスをしたこの二人。つまりは阿部恭久と松井啓子というのが奇跡的な詩を何篇も生み出した詩人二人であることは驚きと言っていい。言葉のラリーとかどうでもいいし、二人のテニスの腕前もどうでもいいんだけど、よくこの二人を一緒にとり上げてくれたものだと、やっぱり「鳩よ！」はわかっていたんだなと感心する。

この二人の詩を一度読むと、完全に虜になってしまう。人生のそばにいつも佇んでいてくれるような詩人。そういう大切な詩人がいる。この二人こそ、そういう詩人だと思う。わかりやすいとか、わかりにくいとか、そんなの吹っ飛んでしまうような詩です。

二人の詩に共通しているのは詩だけにしか書けないものを書いていること。詩だけが持てる恍惚を与えてくれていること。詩そのものであること。この二人の詩を読むと、詩はどうあるべきかなんて議論はどうでもよくなってくる。松井さんの詩です。

☆

かみぶくろ

ゆすりあげて
腕の中の
不安なかたちを整える

その中ほどに
ひとつは水の音をつくって
うすい紙のふちを落ち
底におさまるもののすべてを
わたくしだけがそらで言える
ちいさいふくろのふくらみのへり
ささえきれるだけの重さを
胸高にかかえこむと

中身のどのひとつも
生きものになれもせずに
帰り道をひとしく揺れた

長い坂道をのぼりつめると
また立ち止まり
ゆすりあげて
きつくたばねられたねぎの
その青いところを抱きしめるのだ

（『くだもののにおいのする日』駒込書房、一九八〇年）

どうやったらこんな詩が書けるんだろう。書いてみたいよね。次は阿部恭久さん。

☆

もう秋だ

きょう私は
のどがかわいて眼がさめた

トイレから眺めるともう秋だ
ぬけるような青空
ぬけるような空腹

スポーツ欄によれば
中日、追い上げ——鮮か集中打！
走者とコーチが
四段抜きの写真に
昨日の降雨のただなかに静止している
私はトーストをくわえている
三塁をまわる走者谷木
コーチ森下腕をまわして…

アイドリングしながら
きょうの仕事の段取
フロントガラスが青空にふきぬける…

コーチ私はグルグル腕をまわしている
走者私は三塁をまわる
コーチ私はリバウンドボールを捕球するライトの背中をみた
走者私は三塁をまわっている
依然、まわってる！

（『身も心も明日も軽く』書紀書林、一九七七年）

必死に生きているっていう感じがします。つまりは、詩を書くって必死さだよね、そう言われている気がします。

2019.3.31　横浜

評論のすすめ　粒来哲蔵の詩

逆方向がない

　ところで、長年勤め人をやっていると駅で通勤電車を待っているときに、「ああ一度でいいから、会社に向かうのとは逆方向の電車に乗ってみたい」と思うことがある。多くの人が思うことだと思う。逆方向へ向かう電車はやけに空いていて、日差しが車両に満ちあふれていて、座席にゆったり座って山並みの見える駅まで揺られて行ってと、そんなことを夢想する。

　定年間際の頃にぼくも同じようなことを考えていて、もう少しで定年になるな、定年になったら一度会社へ行く時間に早起きして、会社に行くような気持ちで駅まで来て、ひょいと逆方向の電車に飛び乗ってみようかなって思っていた。そうしたらずいぶん気分がいいだろう。

　でもいざ定年になったら、もちろんそんなことはしなかった。なぜかと言うと、逆方向というものがなくなってしまったから。行くべき方向があるからこその逆方向なのであって、もうぼくには逆方向が失われてしまったんだ。定年退職をして何もしなくてもかまわない、好きなときに好きな詩をのんびり書いていればいいという立場になって、いざそうなると、それだけではいやだなと感じた。それではどこにも逆方向がない。では、会社をやめたあとの自分の逆方向の電車ってなんだろう。

逆方向って、それまでの自分とは違う方向、つまりは自分を変えること、自分が変わることだと思った。流されてしまうのではなく、変わろうと抵抗すること。だから変わりたかった。自分を変えたかった。そんなに大きく変わらなくてもいい。ほんの少し、それまでの自分とは変わりたかった。自分で動き出さないと誰も変えてなんかくれない。自分で少し変わる。変わろうとする。変わろうと動き出す。ホンの少しでいいから変われると信じる。それだけを肝に銘じて定年後のぼくは生きているわけ。

ところで、みんなのなかに詩を書いていても自分は知らないことが多すぎるとか、知らない言葉が多すぎるとか、いろんな劣等感が入りこんで、いつもそんなことばかり思いながら「自分には詩しか書けない」という気持ちで詩を書いている人がいるかもしれない。自分には詩しか書けない。たとえば評論なんて決して書けない。詩作品しか書けない。それが密かな劣等感になっている。ぼくが言いたいのはそのことについてそんなに気に病む必要はないよということ。詩しか書けないことと、評論を書いたりすることのあいだにはほんの少しの違いしかない。

そもそも詩と評論って、同じようなものじゃないかなとぼくは思う。つい勘違いしてしまうのは、詩は作品で、評論はそれについての解説や説明だという考え方。もちろんそういう側面もあるけど、見落としてはならないのは、評論もひとつの作品であるということ。詩作品と同じように、どのような言い回しをすれば人の心をとらえられるかということに苦心する。つまり評論にとっても読んで感動できるかどうかが重要なポイントなんだ。

詩を書くって、生きている謎を解く、そういうものだと思うけど、同じように評論も生きていることの謎を解こうとしている。だから同じなんだ。ただ詩作品には触れられない謎に評論はたまにたどり着くことができる。つまりは得意な場所が違うということだけど、根本は変わらない。心のなかのうそうそとしたものを人と共有したい。ただそれだけのことなわけ。だから詩しか書けない人が評論は書けないと思うのは間違っている。かりにそうだとしても、気にすることはない。気にすることはないけど、いつまでも詩しか書けないと思っているのではなくて、ホンの少し自分の取り組み方を変えてみてはどうだろう。ちょっと評論を書いてみてはどうだろう。やる前からできないと思わないことが大切だと思う。

ホンの少し自分をそちらへ動かしてみる。逆方向へ動いてみる。ホンの少しでかまわないから。いつも同じ方向に考えを進めて詩を書いていると、どうしても限界ができる。評論を書こうとすれば、いつもと違った部分の創作の道や発想のきっかけが見つかることがある。いつもとは違った頭の筋肉を使うし、考えのバランスもよくなる。めぐりめぐって詩を作ることに役立ってくる。

「孤島記」を読む

ここでひとつ詩を読んでみましょう。粒来哲蔵の「孤島記」という詩です。

☆

孤島記——M島にて（抄）

2

島においては、水ほど貴重なものはない。だから水は三角形のハトロン紙に丁寧に畳まれて、島人の髷のなかに隠されている。飢渇に耐えるのがこの島の掟なのだが、子供たちのふぐりが妙に片ちんばなのも多分に蔵水の所為とも疑われる。掟では無視されているが、ひどく渇いた場合は、島そのものを握りしめ、思いきり絞りあげればよい。てのひらの川をとおって水滴がおちはじめ、舌で受けとめるとそれは火のように熱いのだ。

3

島の言語は鳥声に似ている。彼らの多くは喋りはじめると口を尖がらせ片目をつぶるが、そうするうちに声はひとりでに囀りの形をとり、あとはとめどがない。夕日の中で、もはや自らは囀ることを停止することのできぬ娘たちが、ときおり羽搏たくような仕種をくりかえすが、あれは辛苦のあらわれともおもわれる。そのせいか彼女たちは、しきりと涙をこぼしているが、そうするうちにも、こんどはだみ声が彼女たちをとりまいてやかましく啼きはじめ、島はそのまま蒸し暑い夜にはいる。

（『孤島記』八坂書房、一九七一年）

この詩で惹かれるのはどんなところだろう。異世界を書いていて、なんだかガリバー旅行記の続きのようにも見える。島の人の言語が鳥語に似ているというくらいは冒険小説にありそうだけど、島そのものを握りしめるなんてところまでいくと、これは詩でしか書けないだろうと思う。かりにSF小説や空想物語だってこんなことを書いたら、勝手な思いつきとして葬り去られてしまう。でも詩ではきちんとその居場所があって、島を握りしめる手のひらの握力のつよさまで読者は受け止めてしまう。作者が書きたいのはもちろん空想小説なんかじゃないことがわかる。もっと書くことの根源や魂のうめきに根ざしている。

粒来さん自身もなぜ自分がこのような詩を書くかということを詩集『虚像』（地球社）の初めに「自序」という形で「私がこの寓話の中で問いかけるものは、畢竟私の問そのもののこと、即ち私とは何かということです。」と書いている。でも読み手はもちろんそんなこと知ったこっちゃない。目の前の作品はもう作者の影響からまぬがれている。ぼくは粒来さんの作品を尊敬しているけど、詩の前に解説を置くのはいただけない。あるいは、この「自序」はそれ自体が作品だと思いたい。

その作品がすぐれていて、読み手がまっとうに立ち向かっていける作品なら、その人がきちんと読んでいれば、それなりに作者の思っていることの中心に近づいていけると思う。この作品は秀でているから、粒来さんの解説を読むまでもなく島を握りしめるほどの情感を持てあます作者とは何か、生きているとは何か、この気持ちの根っこには何があるか、ということを自然に読者は感じ取るわけ。

繰り返すけど、読み手は書き手の思惑なんて無視して読む。それでも結果的に作者の思惑に近づいていってしまう。そういう意味で、評論って特別なものではなくて、粒来さんの詩を読むときにその詩とともに過ごした時間をそのまま書くだけでいい。その過ごした時間が読み手の発想になる。ひとりの人の詩をその範囲内で読んでいるだけならシンプルだけど、評論ってひとりの詩人について書くばかりではない。〈詩人と詩人の関係〉だったり、〈時代と詩の関係〉だったりすると、問題はもう少し複雑になる。

吉本隆明『戦後詩史論』

もしそういうものを書いてみようと思うなら、ともかく一冊きちんとした詩論を読んでみることを勧めたい。たとえば吉本隆明の『戦後詩史論』（大和書房、のち思潮ライブラリーに収録）という本があります。これは昔の本だけど、一度は目を通しておいたほうがいいと思う。難しいと感じてもわかるところだけを拾って読めばいいし、引用されている詩を味わうだけでもかまわない。読んで完璧に理解しようと思わなくていい。まさに目を通すだけでいい。一度目を通すといろんなことを考える。この本は詩人の関係性や詩の状況がきちんと整理されている。いろんな詩を書いている人を机の上に並べて区分け整理をしっかりしている。

誰にでもこんなにしっかりまとまったものを書けるというわけではない。ここで書かれていること、何人かの戦中戦後の詩人をいくつかのグループに分けてそれぞれの特徴と時代との関係性を語っていることは、いったん受け取ってもいい。戦前、戦中、戦後の詩人の流れが整理されている。ざっと見てみると「不定職インテリ」としての山之口貘や草野心平。「モダニズム派」としての西脇順三郎、北園克衛。「四季派」としての三好達治、立原道造。さらにその後、戦争をくぐり抜けたあとの「荒地」と「列島」の詩人が語られていて、それから吉岡実、清岡卓行というところまでカバーしている。

まさにいまの日本の現代詩の基を形作った骨格の部分がほぼ網羅されている詩論で、そういう意味ですごくまとまっている。もちろん書かれていることすべてを鵜呑みにする必要はない。でも詩作品に向かったときの読みの手さばきと展開する理屈の美しさを味わえばいい。すごく参考になる。論の進め方とかまとめ方の切れ味の秀でたひとつの作品として読む。

吉本隆明だって詩を読むという行為の前ではぼくらと変わらない。いろんな詩を読んでいると、どうしてもこの詩は誰それのあの詩に似ているなとか、この時代のこの出来事に結びついているんだろうなとか、感じることがある。その感じって、何かと何かの関係がかちっと結びついたりはめこまれたときの気持ちよさに似ている。それって詩を書いていて最適な言葉を探し当てたときの感じ方と同じ。その意味で、評論も作者の発想から生まれてくるものだと思う。詩を書ける人は同じやり方で評論も書けると思う。評論も読んだり理解するだけのものではなくて、詩と同じように感じるものだから。

ホンの少し変わってみよう

生きているひとつひとつの出来事に違和を感じて詩を書く。その一連の行為には、詩をどのように書いたら有効かという考えがおのずと入っていて、その考えは「詩とは何か」という問いにつながってゆき、果ては詩論（評論）へたどりつくことになる。詩を書くことは、詩を概観して、整理して、まとめ上げるという行為をおのずからしているということでもある。いろんな本を読んで知識を蓄えなくても、詩を書くときにちょっと考えたことや人の詩を読んだときに感じたことが自分にとっての自分だけの評論になりうる。ちょっと感じたことを軽視しない。そこにこそ独自性があり評論があり詩がある。一篇の詩を生み出すように、他の人には思いもつかない発想から評論を書いてみる。それが大事だと思う。自分から動かなければ変われないし、この教室には詩作品を持ってくるだけでなく、評論を提出してくれてもいい。詩作品だけではなくて、たとえば何か一冊詩集を読んで感じるところがあったら、その詩集について書いた文章を出してくれてもかまわない。

詩しか書けないと感じていて、そこに留まっている人は、ホンの少し変わってみようというのがぼくの今日のメッセージです。

2019.5.5　横浜

どうしても言っておきたいこと　池井昌樹と白井明大

向こう側を書く

今日は「どうしても言っておきたいこと」という題で、一冊の本と一冊の雑誌についての話をします。詩を書くとき、まず何を書こうかと考えますね。もちろん自分の頭に浮かんだことを書くわけだけど、そのいくつか浮かんだことのどれを書くかを考える。頭のなかにはいろんなことが漂っていて、思い浮かんだことを片端から書くわけにはいかない。

自動筆記みたいに何も考えないで書いて立派に作品になるなら苦労はしない。でもたいてい楽しいのは書いている自分だけで作品としては中途半端なものにしかならないことが多い。ふつうの自分はふつうのことしか考えないから。みんなが考えそうなことを書いてもつまらない。だからそういうのは書かない。かと言って突拍子もないことを書いても誰にも通じないから、そういうのも書かない。

では何を書けば詩になるかと言うと、みんなが考えているその向こう側を書けば詩になる。

みんなが考えているその一歩先を書く。それがあるべき姿だと思う。そのみんなが考える一歩先のことって、ふつうの人が言わないことをあえて言ってみるということでもある。恥ずかしがったり、カッコつけていたり、世間体を気にしたりして、書かなければ何事もなくて済む、というようなこと。そういう安全なところから一歩踏み出す。

読む人は読み始めて、そうだな、そういうこともあるなと思いながら読んでいるうちに、え？　そこまで考える？　そこまで書く？　という感じで驚く。その驚きが感動になる。何も露悪的になれと言っているわけではない。誰かの秘密を暴露しろと言っているわけではない。間違っても詩で人を傷つけてはいけない。そうではなくてもっと健全に発想の垣根をまたぐことが大切です。

自分の恥ずかしさと向き合う

今日は、ぼくがふだんだったら話さない、恥ずかしい思い出をひとつ話そうかと思います。言葉って取り返しがつかないものだという話です。一度言った言葉は、もう飲みこむことはできない。ぼくが小学四年生か五年生か、そんな頃です。ぼくにはひとりの友だちがいて、そのT君はすごく引っこみ思案でおとなしい少年だった。というのもT君はひどい吃音でそのせいであまり人と話をしたがらなかった。ぼくも当時はどちらかと言えばおとなしい子どもで、Tくんと話をしていると落ち着いていられたし、好きな本の話なんかをよくしていた。一緒に遊びにも出かけたし、仲のよい友人だった。

ある日、何か行事が終わって、ぼくはちょっと気分が興奮状態にあった。で、クラスの何人かと愉快に話をしていた。そのなかには好きな女の子もいた。そのとき後ろからT君が来て、ぼくの背中をちょんとつついた。ぼくは振り向いた。T君がぼくに何か言った。そのときぼくは「え？　なに言ってるのかわからないよ」とか、そんな言い方をした。

T君は吃音だから、言葉が聞き取れないことがよくあったのは事実だけど、ぼくの気持ちにはそれだけではなく、その場にいたみんなを笑わせようという思いがあった。T君が吃音で話がわかりづらいというのをみんなの前であからさまにあげつらってしまったというわけ。あとで考えるとそういう気持ちが間違いなくあった。みんなはちょっと笑って、そうしたらT君はぼくに話があって来たはずなのに、「もういいよ」という感じで背を向けて向こうへ行ってしまった。それからすぐにぼくは自分のしてしまったことの恐ろしさと残酷さに気づいた。情けなさ。みっともなさ。取り返しのつかないことを言ってしまったことへの後悔にさいなまれた。

で、その晩T君の家に行った。謝ろうとしたけど会ってくれなかった。結局その日がT君と話をした最後になった。T君はもうぼくとは決して話をしてくれなかった。時々T君が別の友人と話をしている脇を通りすぎたけど、T君はぼくのほうを見向きもしなかった。あれからもう六十年も経っているけど、あの日のことをぼくは繰り返し思い出している。

言葉っていくら繕っても本性が出てしまう。隠しても自分のくだらないところが出る。ああであってはいけないんだ、自分はああであってはいけないんだという思いでぼくはそれからの六十年を生きてきた。ぼくは詩を書くとき時折、あの日の自分の言葉を思い出す。あの言葉に対する言い訳をするように俯いて長年、詩を書いてきたのかもしれない。

詩以外の表現から詩に入る

ここに一冊の本があります。白井明大さんの『希望はいつも当たり前の言葉で語られる』（草思社）。白井さんは詩人で、この会にも何回かゲストで来てくれたことがあるし、ご存知の方も多いと思います。この本には詩も引用されているけど、エッセイ集です。白井さんがこれまで生きてきたなかで胸を打たれた言葉、自分の生き方を変えてくれた言葉、振り向かされた言葉、そういう自分を通過していった言葉について誰にでもわかる簡単な言葉で書いている。真摯に言葉に向き合って書いている。態度としては、言葉について書いているというよりも、言葉について、言葉の承諾を得て書かせてもらっている、そんな雰囲気の本です。

この本のいいところは背伸びをしていないところ。自分は偉いというところではないところで書いていること、思ったままを書いているところです。みんなが知らないことを書こうとしているのではなくて、みんなが知っている、あるいは経験したことがあるようなことにあらためて目を添えている。見つめている。みんなもわかると思うけど、思ったそのままってやってみるとなかなか書けない。どうしてもカッコつけて利口ぶってしまう。でもこの本は自分が人と違うところにいるとは決して言っていない。そこが、ぼくがさっき言った一歩先を書くということなのだと思う。がむしゃらにいろんなことに立ち向かって、失敗して、ダメな自分と向き合って、反省して、謝ってうなだれて、それからまた恥ずかしげに顔をあげて。そういうことを正直に書いている。

詩人って当たり前だけどふつうは詩を書いて詩集を出す。それで何冊か詩集を出しているうちに詩に関する散文や、評論やエッセイを書くようになる。詩集を出しながら評論を同時に書いている人もいる。あるいは詩はあまり書かないけど、評論集は何冊も出すという人もいる。でもすぐれたエッセイが先にあって、そのエッセイを読んだ人が、この著者はどんな詩を書いているのだろうと思う。そんなふうにエッセイから詩集へいくという順番ってあまりない。

通常、詩人にとってエッセイ集って詩集の後ろに立っている。白井さんの場合は、エッセイ集と詩集が並んでいる。白井さんはまさにそういうタイプの人なんです。エッセイが詩を包みこんでいる。白井さんのエッセイを読んでいると、白井さんの詩集を読みたくなる。それって、ふだん詩集を手にとらない読者にとって、エッセイが詩集のとてもいい手引書になる。案外それは自然な流れなのかもしれない。

読めばわかるけど、このエッセイは、散文だからと言って論理立てて書かれているわけではない。詩を書くときの熱量がそのまま保たれている。白井明大という感性がエッセイと詩を同じところから生んでいる。詩を読まない人にいきなり詩集を勧めるより、エッセイから入ってもらうほうがスムーズな場合もある。そういう意味で、白井さんはいままでにあまりいないタイプの新しい詩人だと思います。

舞踏から、歌から、芝居から映像からネット表現から本の編集から、さまざまなところで生まれた才能が詩のほうへ流れてくる。そういうのがあってもいいと思います。

同人誌というひたすらな行為

今日のもうひとつの話は「森羅」という同人誌のこと。これは池井昌樹と粕谷栄市が出している詩の雑誌です。もちろん二人の詩が載っているのですが、そこに毎回ゲストの詩も載っています。この詩誌を読んでいるといくつかのことを考えるのですが、ひとつは、すでに名前も知られていて、キャリアのある詩人がどうしてわざわざ手間とお金をかけて同人誌を出すのだろうということです。粕谷さんや池井さんの詩を載せたいという雑誌は他にもあるだろうに、なぜ自分で出そうとするのだろう。もちろん本人たちに聞いてみないと本当の理由はわからないけど、勝手に考えることはできる。

ぼくは、そこに詩人の生き方の本質が含まれていると思うんです。詩人になりたい、詩人として一人前になりたいという人たちが日々どうやって生きているかというのは想像できる。ふつうの人たちだから、学生であったりサラリーマンであったり主婦であったり年金生活者であったり。生活の形はそれぞれだけど、詩人になりたいと思って、詩を学び書いている人の日々っていうのは、本来の役割、学生であったり勤め人であったりということのためにそのほとんどの時間を費やしているわけです。悩んだり喜んだり、ともかくも本来の役割に多くの時間を割かれて、その合間に無理にでも時間を作って詩と取り組んで生きている。

電車のなかでふときれいな言葉をつかんだり、眠らなきゃと思いながら目をつむると、このまま時間に流された生活だけで終わりたくないとベッドから起き上がって、眠いのにまた机に向かってみたり、そんな感じなのかなと思う。

そういう人が努力をしてすぐれた詩を書くようになって一人前の詩人になったとします。でもその人たちのその後の生き方、あるいは日常ってどういうものだろうと考えるとなかなか想像できない。具体的に言うと池井さんや粕谷さんはどんなことを思ってどんな日々を送っているのかということをね。で、ぼくが言いたいのは、この「森羅」という同人誌にはその答えの一端が書かれている。「森羅」そのものがその答え。つまり有名な詩人でも、詩を書き始めたばかりの詩人になりたいと夢を見ている人と変わらないということ。そこをあらためて確認しておきたい。

詩人になる、詩人として極めるということは、生きている時間、一心に自分の役割をまっとうするという人生のなかで、何も特別なものになることではない。何か特別なところへ行けるわけではない。海の向こうに夢のような世界があるからそれを目指そうと舟に乗りこむことではない。海の向こうにも自分と同じ自分がいる。有名な詩人も無名な詩人と同じように詩を定期的に書いて、それをそっと自分が作った詩誌に置いてゆく。そういう行為なのだと思う。それが詩人の根本。それ以外にはない。

詩人って初心者だろうがベテランだろうがみんな似ている。似た心持ちを持っている。言葉への同じような接近の仕方をしている。ひたすら繰り返し自分の言葉が生まれてくる場所に目を凝らしてうっとりと生きてゆく。それは詩を書く人みんな同じ。そういう行為以外には詩人であることの意味はない。その行為にしか詩人であることの秘密と恍惚はない。それが詩人の日常であり、生活であり、生き方なんだ。もちろん著名な詩人には時々派手な出来事もあるかもしれない。でもそんなの関係ない。そんなの詩を書くという行為の枝葉の部分でしかない。つまり、詩人になるということは詩人になろうとすることと何も変わらない。どこかに詩人というゴールの旗があるわけじゃない。ひたすら思いの丈を書き続けてゆく。それだけのこと。結果を急がない。それを生きているかぎり差し出していく。それだけの行為に生き甲斐を見つけられない人は詩に向いていないと思う。

結果を求めすぎない

ぼくはずっと昔、詩を書いていて、それから詩の世界からいなくなってしまった。でもこうして詩に戻ってきたのはなぜかと言うと、そのまま書かないでただ昔の詩を思い出して寿命を終えるのではなく、あと数篇、自分にしか書けない詩を残したい気持ちがあったから。

それだけではなく、もうひとつ詩に戻ってきた理由があった。というのは詩を書いて悩んでいる人に言っておきたいことがあったから。だからこうして毎月話をしている。その言いたいことっていうのは、すでにここでも何度も言っているけど、「結果を求めすぎない」こと。自分の能力を使って詩を書く。そのこと自身に喜びを見出す。そのことに集中して幸せに過ごそうよということです。誰かの詩と比較したり、誰かにほめられることを期待したり、誰かの詩を貶めたり、そういうことに心をとらわれない。手元から離れた自分の詩に多くを託さない。誰かにほめられることはもちろん嬉しいことだけど、そのためだけに詩を書いていると欲望がとめどなくなる。そうすると自分の感情がいつもぐらぐら揺れていて制御できなくなる。ものを作っていてそんな不幸におちいらないようにしようというのがぼくの言いたいことです。

手で書く

「森羅」を読んでいてもうひとつ気がつくのは、すべてが手書きであること。昔のガリ版刷りみたいだけど、そうじゃない。これは池井さんが毎回原稿を手で書いている。先日池井さんと話をする機会があってそのときに彼が言っていたけど、人の詩を一文字一文字書き写しているとその人の魂が自分のなかに入ってくるんだって。作者がその作品を書いているときの思いがじかにこちらに入りこんでくる。

そういう体験って池井さんだけではなくて、詩を書いている人はたいていい持ったことがあると思う。好きな詩人の詩をただ目で読むだけではなくてノートに書き写してゆく。書き写す速度で詩の内容が自分のなかに入りこんでくる。だから池井さんの言っていることはとくに珍しいことではないけれども、言葉って珍しいから聞くに値するのではなく、確かに感じたことだから価値があるのだと思う。

自分で書き写してみるのは、詩を自分のものにするためには侮れない。できたら今日の教室の帰りに一冊の新しいノートを買ってきて好きな詩人の詩を少しずつ書き写してみてもらいたい。書き写していると、自分がその詩のそのフレーズを思いついたかのような錯覚を起こす。その錯覚は、いままで見えなかった発想の道筋をたどることであり、自らの詩作をより豊かなものに導いてくれる。

最後に池井さんの詩を読んで今日の話は終わりにします。

☆

王冠

たのしかったか
たずねられたが
なんともこたえられなくて

かおあからめて
王冠をとり
ほっとして
めがさめた
いったいどんな王国の
ぼくは王様だったのか
ゆめはさり
ぼくもきえ
あかさびた
通貨のような王冠ひとつ
みずをたたえたなつかしい
ほしがたずねた
たのしかったたか

（「森羅」十三号、二〇一八年十一月）

まとめると、詩以外の、自分の得意なジャンルから詩へ入っていく道筋もあるのではないか。詩人になることは特別なことではない。それを承知で書いていこう。きれいな詩は自分の手で書き写してみよう、ということです。

2019.7.15　横浜

詩とメッセージ　井上陽水と宮尾節子

池井昌樹さんとの対話

先週土曜日（二〇二〇年一月十八日）に、ジュンク堂池袋書店で池井昌樹さんと対談をしました。そのときの話は、詩に何を書くか、詩をどう書くかという話題で、自分のことに引きつけて考えることが多かった。そのときに池井さんが「自分はずっと詩を書いていたけど、じつは、何も書いていなかった、そういう時期がある」という謎めいた話をしていました。つまり、詩に書くべきではないこと（そんな単純な言い方ではなかったけど）を書いていた時期があって、その時期の詩は、書いていなかったのと同じだ、と。

ぼくは池井さんと違って、書いていたけど書いてないなんて複雑な時期はありません。書いていないときは、まったく書いていなかった。見事に書いていなかった。そういう詩とは無縁の時期が、二十年とか、十年とか、長いあいだあった。何度もあった。結果として勤め人がたまに詩を書いていた、そんな感じでした。生きていると、どうしても詩が書きたくなることがあって、そんなときには夢中になっていちどきに書く。何を書くかなんて考える余裕もなく書く。書きたいことが吐き気のように胸にせり上がってきて、やむにやまれずに書く。ぼくにとっての詩とはそういうものでした。だから、詩に何を書くかなんて真剣に考えてこなかった。おのずと与えられたものだったから。

そんなところに、詩に何を書くかということを考えさせられる機会がありました。「現代詩手帖」二〇一九年十二月号の座談会で、小池昌代さんが宮尾節子さんの詩について話をしていた。いま手元にないので記憶で話すのですが、小池さんが言っていたのは、詩で、何かメッセージを伝えることや、自分の意見を申し述べることもあっていいのではないかということでした。それを読んだときにとくに新しい考え方でもないと思ったんだけど、なぜか頭に残っていた。いくどもその言葉が思い出されてくる。気になっていたのは、たぶん同じような気持ちがぼくにもあったからだと思います。

詩と社会

今日は、「井上陽水と宮尾節子」という話をします。キャッチーな題だけど、いたって真面目な話です。何を話したいかと言うと「詩のメッセージ性」というか、「社会へ向けた（社会性のある）詩」について。

ぼくにそんな話ができるのかという疑問が出てきます。自分ではメッセージ性のある詩は書いてないからね。お前は、社会や世界に堂々と顔向けできるような詩を書いているのかと言われれば、顔をあげることができません。顔をあげることのできないことを書くのが詩だと考えていたからです。そもそも自分の詩は何を書こうとしているのかと聞かれても、にわかに答えることができない。何を書こうとしているのかわからないから書くのが詩なのだと考えてきた。でも、だからこそ立ち止まって、詩のメッセージ性について考えてみたいと思ったのです。

そもそも詩にメッセージ性は必要なのか。詩で、社会に対する同意や反発を書くことは有効なのか。いつの世にもそのような問いはありました。いつの世にもあったけど、いまは、そういう言い方も聞かない気がします。そんなはずはないけど見えにくい。たとえば、戦後すぐの頃には「荒地」や「列島」という同人誌があって「詩は単なる個人的な情感を歌っているばかりでいいのか」という問いを突きつけました。そこからもうずいぶん月日が経っています。いまはどうだろう。ぼくだけの思いかもしれないけど、どこか麻痺しているのではないかと感じたのがこの話の発端です。

後ろめたさは大事にする

まず、井上陽水の詩、というか歌です。「傘がない」。いまさらですが、沁みるいい歌です。歌詞の内容は、世のなかにはいろんなことがあるけど、いま一番大事なことは傘がないこと、傘がないときみの町に行けない、何よりもきみが大切だから、というものです。聞けばわかるように、ラブソングです。ラブソングだけど、いわゆるラブソングではない。その前段階で別のこと、社会的なことを歌っていて、そのあとで、それと恋愛との比較（対比）が続いています。つまり、きみを愛するために捨ててきた関心事があると書いてあります。

恋愛のために振り捨ててきた関心事というのは「都会では自殺する若者が増えている」という社会事象、「我が国の将来の問題」、これも社会的なあるいは政治的な問題です。社会的な関心よりも個人的な感情を優先するという図式は、戦後まさに、それまでの抒情詩が軟弱だとして突き上げられた問題点であったわけです。井上陽水は、抒情詩の軟弱さを揶揄するためにこの詩を書いたのではないはずだけど、多くの詩人が密かに思っていること、つまり「詩は個人的な情感だけをのんきに書いていていいのだろうか」という思いが井上陽水の気持ちのどこかに意識的にしろ無意識的にしろあったのだと思います。

言うまでもなく詩に何を書こうが個人の自由です。ぼくは「もっと社会的なことを書こう」と旗を振っているわけではありません。でも、自分が書いていることがそれでいいのか、そんなところにとどまっていていいのかという後ろめたさは感じていたい。「傘がない」という歌には、その後ろめたさが含まれている。自分が何に関心を持っているか、詩に何を書くべきかという永遠のテーマにこの詩は触れている。

この詩は、黙読で読んでみればわかるけど、詩自体はなんてことのない詩です。この詩のよさは、曲がすぐれていることと張りのある歌声によるところが大きい。詩と曲と歌声があいまってぼくらに感動をもたらしてくれるわけです。そのどれかひとつでも欠けていれば、これほどの表現物にはならないと思います。

すぐれた反戦詩

では、曲のない詩はどうだろう。切ない歌声も美しい旋律もない「現代詩」には、そのような感動を与えることはできるのだろうか。宮尾節子さんの詩を見てみます。「明日戦争がはじまる」という詩です。

☆

明日戦争がはじまる

まいにち
満員電車に乗って
人を人とも
思わなくなった

インターネットの
掲示板のカキコミで
心を心とも
思わなくなった

虐待死や
自殺のひんぱつに
命を命と
思わなくなった

じゅんび
は
ばっちりだ

戦争を戦争と
思わなくなるために
いよいよ

明日戦争がはじまる

（『明日戦争がはじまる』集英社インターナショナル、二〇一四年）

よい詩です。溜息が出ます。では、なぜこの詩がよい詩だと感じられるのか。もちろん読めば誰にでもわかる詩ですが、あえて細かく見てみましょう。この詩では、先ほどの井上陽水が「傘がない」で捨て去った社会問題を捨てずに書いています。「こういうことは大事だと思うけど」のあとに「だけども今日は」とは言いません。「だけども」を言わずに、社会的な問題を真正面から扱っています。

一連目は、満員電車のなかでいきりたって我先に自分だけは座りたいという自分本位、欲望本位の生き方を書いています。「人を人とも／思わなくなった」の二行だけで多くのことを語っています。

二連目は、ネット時代の匿名性に隠れて人を傷つけること、ねたみやそねみやうらみやにくしみを前面に出した醜い感情に支配された人のことを書いています。これは、誰がそうだということではなくて、すべての人にそのような面があるということです。そういったことを「心を心とも／思わなくなった」とたった二行だけで書きつくしています。すごいです。

三連目は、自分の感情が抑えられずに、近くにいるものや弱いものに当たり散らす心、勝ち組負け組などという軽薄な言葉に翻弄されて、自らを滅ぼしてしまう心の向き方（病い）を書いています。これも「命を命と／思わなくなった」とたった二行で書いています。表現の省略が見事な、ホントにすぐれた詩です。

でも、この詩のもっともすぐれているのは、このあとの部分です。三連目までのことを前提にして、どこかに大きな存在が世界を見渡して「じゅんびはばっちりだ」という。この大きな存在は密かにぼくたちを支配するものだけれども、同時にぼくたちの内面そのものでもある。実際に、「じゅんびはばっちりだ」と自分で言っているわけではないけど、そのような「じゅんび」をぼくたち自身がしてきてしまった。

最後の連、気がつかないうちに私たちひとりひとりが戦争をする方向に向かっていたと言っています。言うまでもなくこの詩は反戦詩です。でも、反戦詩としてすぐれているだけではなくて、詩そのものとしてもすぐれている。そこが大事。この詩を読めば、メッセージの鋭さを感じることができます。ただ、この詩がすぐれているのは、メッセージがあるからだけではない。メッセージとは別のところにも私たちの心を打つものがあるのです。別のところとは何かと言うと、無防備に詩を求める心とでも言えるものです。受け取ったポエジーにうっとりとなって言葉に置き換えてゆく詩人の恍惚が、この詩をすぐれたものにしている。

さっきの「傘がない」では曲のダイナミズムと歌声の張りと切なさに感動しました。この詩で、それらのすぐれた曲と声に匹敵するものは何でしょうか。おそらく、純粋に詩として入りこむことのできる詩の構造とテクニックです。テクニックというと無機質な乾いたもののように感じますが、そうではなく、詩そのものとして純粋にあることが、そのまま深く入りこんでくるというか、曲も声もないところでも詩はこのように成り立つことができる。

ポエジーに突き動かされる

もうひとつ、宮尾さんの詩を見てみましょう。『女に聞け』という詩集の冒頭に載っている「女に聞け」という詩です。この詩も「明日戦争がはじまる」同様、すぐれた詩です。この詩は憲法第九条に言及しています。これも反戦詩と言えます。この詩集には、他にいじめ問題を激しく追及している詩もありますし、社会問題に正面から立ち向かっています。

☆

女に聞け

わたしが
恥ずかしい、格好をしなければ
こんなにも
恥ずかしい格好をして、ひとりで踏ん張らなければ
あなたは、この世に生まれて、来れなかった。
わたしが

死ぬほど恥ずかしい姿を、ひと目にさらして
恥ずかしい声を、なんどもなんども肚《はら》から
絞り出して、（瞼の裏を菫色にして）命がけでいきまなければ
あなたは、ここに生まれて、来ていない。
恥ずかしい、それでも、どこにも逃げられない。逃げない。
（暁を告ぐ、鶏鳴を助けに）
絶対に、あなたを生むという、ただ
ひとつ事のほか何も考えない。考えられない。
あのときの、ひどくみじめに
敗れたわたしの姿から、生まれたあなたの世界が
（しかし、あなたが生まれた瞬間に、
恥ずかしいが、誇らしいに変わった！）
愛であることを、
（生まれたものが、命だったからだ。）
平和であることを、
（広がったものが、喜びだったからだ。）
わたしは、信じて疑わない。

どんな姿から、いったい何が生まれるか。生まれないか。
男よ、だから
あなたが忘れている。産声を、わたしは知っている。

けんぽうきゅうじょうに、ゆびいっぽん
おとこが、ふれるな。やかましい！
平和のことは、女に聞け。

（『女に聞け』響文社、二〇一九年）

読めばどこがすぐれているかは明確です。真面目できりっとした人間の詩です。『女に聞け』には、いま見たように社会に対するメッセージを前面に出している詩もあります。でも、それだけではなくて、多くの詩は、宮尾さんが生きていくなかで、無性にポエジーを感じてしまうものをその時々に拾い上げて詩にしている。

気づくのは、メッセージ性のある詩も、そのメッセージを訴えるために書いているようには見えないことです。日々、生きているなかでポエジーを感じ、突き動かされたもののひとつが、たまたまメッセージ性を持った詩になったという感じです。そうでなければ、これほど厚みのある詩にはならなかっただろうと思うのです。

詩はかつて叙事詩として、権力者を讃えるため、その歴史を語るために発生した。時代も変わると、そういう権力者を讃えたり、比喩として自然を讃えたりという紋切り型の詩に飽き足らなくなってきた。徐々に個人の感じ方や感情を描くものに変わってきました。それは充分理解できることです。

大切なのは、井上陽水が歌っているように、きみのことを思う心です。その心を歌うことは決して間違ってない。ぼくも詩にそのような自分の感情や感じ方を書いています。相変わらずめそめそした日常と孤独感、たまには甘ったるい恋愛詩も書きます。そのような現代詩をぼくは否定しません。その詩を書いた詩人のうつむきが存在しているなら、それでかまわないと思っています。

でも、宮尾さんのように訴えるべき内容のある詩も同時に讃えたい。宮尾さんの詩の、反戦への思いやいじめへの憤りのなかには厳然として上質な抒情が存在している。希有な才能です。詩への熱い衝動が、人に訴えるメッセージとしっかり結びつく。そのような才能を持っているからこそ、完成度の高い詩ができ上がるのだろうと思います。

目の前の問いに向き合う

では、なぜ宮尾さんでない多くの詩人は（ぼくも含めて）社会的な問題を詩に書こうとしないのだろう。自戒をこめて言うならば、すぐれた詩を書きたいと思う信念と、社会に対する自分の感じ方を、どうやってもひとつの詩にまとめることのできない才能のなさによるものなのではないかと思います。

では、ぼくが社会的な問題を無理にも詩に書いてみたらどうだろう。おそらくぼくの詩は、語るべき内容に耐えられないだろうと思います。そのような内容をも包みこむことのできるつよい文体を持っていないからです。

それはひとつには、詩はメッセージとは別物という固定観念に縛られていることが理由かもしれない。とはいえ、それこそ地球規模の環境問題がぼくらの鼻先に突きつけられている現代に、詩と社会的な問題を別物として扱っていいのかと自分を振り返るべき時期なのかもしれない。詩を書くときには、何を書こうなどとふつう考えません。単に、これだというものをつかみ取って言葉にしていく。その作業のあとに、自分が何を書きたかったのかを知ることができます。「これだ」と手を伸ばすぼくの指先は、いまのところ社会的な問題に触れることがないけれども、宮尾さんの詩を読んでいるうちに、密かに影響を受けて、そのうちぼくの手が、社会的なものをつかまないとも言えないと思うのです。

宮尾さんの『女に聞け』という詩集は、多くの緊急な問いを、ぼくらにつきつけています。さらに言えば、宮尾さんの詩は、いまこのときの空気を吸って書かれている。そのことをつよく意識して、ぼくはぼくの詩を書いていきたいと思っています。

2020.1.23　池袋

素敵にガッカリしてみよう　中島みゆきから学ぶもの

今日は新しく参加してくれた人が三人もいるので、この教室で伝えたいと思っていることを確認しておきます。ぼくとしては、

（1）それぞれの人が書いた詩がもっと人の胸に届いてほしい。
（2）書くことによって生きる勇気を持ってもらいたい。

その二つです。そして、みんなに詩人として生き抜いてもらいたい。詩とともに生きていくことのすばらしさを分かち合いたい。詩人として生きていくためには何が一番大切かというと、これはとても単純です。言葉や生きていくことに対して、きれいな熱情をどれほど持ち続けていられるか、ということだと思います。

歌詞から現代詩へ

では、今日の話。今日は「素敵にガッカリしてみよう」という話です。

中島みゆきの歌のことから始めます。先月が井上陽水の話で、今回は中島みゆきです。歳をとると早朝に目が覚めてしまって、とくに冬の朝は寒いから布団のなかでぐずぐずしていることがある。そんなとき、奥さんが隣りでまだ眠っているので邪魔をしないようにイヤホンで歌を聴くことがあります。歌の歌詞って現代詩とは違いますが、まったく違うかというとそうでもなくて、切れ味のよい言葉が次々に心を刺すような歌もある。

歌詞と現代詩って、言葉の端と端をつないで、その組み合わせで人の気持ちに届けようと苦心しているという点では、そんなに遠くありません。だから、詩が書けないと思ったときはすぐれた歌詞の歌を聴くと、聴きながら気持ちを詩のほうへ持っていけることもあるし、歌詞からの連想で詩を思いついたり、発想を得られることがあります。歌を聴くって、詩を書くためのひとつの有効な手段になる。

先日も中島みゆきの「ファイト！」という歌を布団のなかで聴いていました。歌詞の内容は、中卒の女の子が仕事に就くこともできず、悔しい思いで生きているというところから始まります。ある日、駅の階段で女が子どもを突き飛ばす情景を見てしまう。そのとき女は笑っていた。私は恐くて逃げた。「私の敵は私です」という鋭くて印象的な歌詞も入っている。世間と戦い、自分自身とも闘って生きている私を、闘いもしない人が笑う、という歌詞になっています。そんな私に「ファイト!」と叫んでいるのです。

歌の歌詞だから目で読むと衝撃が減ってしまうけど、このあとに「勝つか負けるかそれはわからない　それでもとにかく闘いの出場通知を抱きしめて」というフレーズも出てくる。力のある言葉だと思います。この歌でぼくが一番胸を打たれたのは何度も繰り返し出てくるサビの部分「ファイト!　闘う君の唄を　闘わない奴等が笑うだろう」のところです。ここでは「君」と「奴等」が出てきて、頑張る君を頑張らない奴等が笑う図式になっているけど、この「君」と「奴等」って、場合によってどちらにもなりうる。

詩のことで忙しくする

それで思いは自分のことに移っていきました。三年前に六十六歳で仕事をやめてもう会社に行くことはなくなった。これから毎日何をやろうかと考えて、そう言えば昔、ぼくは一生懸命詩を書いていたと思い出して、残りの人生でやり残したことがあるとしたら詩を書くことだとあらためて思った。他に命を懸けて向かうことなんてない。

それで、少しずつツイッターとフェイスブックを始めて、詩や文章を載せ始めたんだけど、詩って待っていても誰かが「あなたの詩を読みたいからぜひ書いてくれ」と言ってくれるわけのものではないんですね。待っていたらずっと何も書かないことになります。だから自分で始めた。ところが、定年後に詩をやるって、朝にちょっとSNSに詩を載せたところで時間がまだたっぷりある。詩をやってゆこうと決めたからには、毎日、そのことで忙しくしようと思いました。それで横浜で詩の教室を始めることにしたんです。それで会社をやめて程なく教室の一回目を始めました。本当は詩を教える自信はなかった。どこまでできるかなという気持ちがあった。一度か二度は頑張れてもすぐにいやになってしまうのではないか。

でも、やり始めなければ何も起きない。会社にいるときも思ったのですが、仕事っていつもやっている仕事をしているうちは何も学ばない。同じ仕事を同じようにやっていると、だんだん自分がダメになっていく。楽して生きてゆこうと思うようになる。少しでも自分を変えたい、成長したいと思ったら、自分ができるかどうかわからないことをやってみるしかない。だから横浜で詩の教室を始めたんです。誰に頼まれたわけでもないのに始めました。

三年経ったいまでは、横浜の他に池袋でもやっているし、遠い人のために通信での教室もやっています。来月から新宿でも「詩を読む教室」をやろうとしています。新宿の教室はいろんな詩人の詩を読みこんでいこうと思って始めたのですが、まだ不安があります。どこまでできるかわかりません。ただ、どこまでできるかわからないからこそやってみようと思った。まずは「やりますよ」と言ってしまって、自分を追いこんでからやってみる。そうやって自分を詩に関わらせて、学びながら忙しくしてゆこうと思いました。

がっかりするかもしれない

さっきの中島みゆきの歌の歌詞じゃないけど、「はたで笑う奴等」になることも「頑張って笑われる君」になることも自分で選び取れるわけです。だったら「頑張って笑われる君」になろう。やってみなければわからないということは、笑われるだけじゃなくて失敗することもあります。でも失敗は、やってみたから失敗するわけです。やってみなければ失敗もできない。こういう考え方って、自分で思いついたわけではなくて、いつだったか新宿の地下街を歩いていてポスターに書いてあった。「宣伝会議」のポスターだったけど、「挑まなきゃ、悔しくもなれない」。とてもいいコピーだなと思いました。

言葉って不思議なもので、その言葉をふっと思い出すだけで元気が出てくるというか、勇気が持てる言葉がある。「挑まなきゃ、悔しくもなれない」。この言葉を、ぼくは自分がひるみそうになったときに思い出す。自分にすごく当てはまる。やってみて、自分にがっかりするのは、やってみた自分がいたから結果としてがっかりするわけで、できるかどうか心配になるのは、やろうという健気な気持ちがあったからこそ心配できる。

詩人なんて言葉はどうでもいい、ただひたすら詩と取り組もう。自分の詩で、自分の毎日をもっと忙しくしよう。いろんなことをやってみて、命のあるかぎり、心配したり、失敗したり、がっかりしたりしていたいと思います。

傷つくのは、がんばった証

言いたいことは、自分にはできそうにないことをつねに目の前に置いて向かってゆきたいということ。それで失うものがあるなら失ってもいい。だって、失うことができるっていうのは、それまで失いたくないものをずっと自分のものにすることができていたっていうことだから。やってみて元気がなくなってしまうなら、せいぜい元気じゃなくなってみよう。やってみなければわからないことに挑戦したからこそ元気がなくなることができる。もっとガッカリしてみよう、ということです。

たとえば詩を投稿すれば落ちることもあります。むしろ、ほとんどの人が落ちます。でも、落ちることができるというのは、人に読んでもらいたいと思うほどの詩ができたから投稿しようとしたわけで、詩ができなければそもそも投稿で落ちる経験もできない。だから、いつも素敵にガッカリしていいのです。その先にこそ、いつか入選の可能性が開けてくるんだから。

何もしなくても一生をまっとうすることはできる。何もしなければつらい目にあうこともない。さっきも言ったように、詩を書くというのは、ほかでもない自分が身を起こして書こうとしなければ何も生まれない。じっとしていても誰かが「あなたの詩を読みたいからぜひ書いてください」なんて頼みにきません。自分が動き出さなければ何も起きない。自分が動き出せば何かが動きます。うまくいかないこともあります。傷つくこともあります。でも考え方は逆。うまくいかなかったのは、自分が何かをやろうとした証。傷ついたのは、自分ががんばった証。
　詩を書いているなら、いまよりももっとすぐれた詩を書いて、たくさんの人の胸に響いて感動してほしいと願っていい。遠慮せずにそこを目指していい。それが現実にできるかどうかは誰にもわからない。でも、人の胸に届こうとしなければ、いまの詩から成長することはないだろうと思います。せっかく生きているんだから、もっとがっかりしようよ、もっと失敗しようよ、もっと笑われようよ、もっと見事に元気をなくそうよ、という話です。

2020.2.13　池袋

Ⅳ　詩につながる考えごと

避けられない寂しさを書く　老人と詩

昨日の夜、テレビを観ていて身を乗り出してしまった番組があった。「ミッシングワーカー」のことを取り上げたNHKの番組。その番組は仕事がない人を取り上げているんだけど失業者とも違うわけ。つまり、仕事を探していないから失業者ではない、だから失業率の計算にも入ってこない。でも仕事をしていないの。百万人以上いるって言っていた。

ぼくの場合

ぼくも会社をやめてからしばらくぶらぶらしていた。年金も入ってくるし、本でも読んでいようかなと思っていた。せっかくだから現代詩の歴史でもきちんと勉強しようかと思って最初の一か月はそうしていたんだけど、毎日明るい窓辺で本ばかり読んでいるとだんだんつまらなくなってきた。本を読むことは好きだけど、思う存分読んでいていいという状態が続くとどこか息苦しくなってくる。一日中本なんか読んでいられない、仕事をしようかと思った。それで、去年のいまごろ石川町にあるハローワークに通っていた。最近のハローワークってすごく親切で、毎週行っていると、高齢者に親切な担当者がついてくれて親身に仕事を探してくれる。

長いあいだ英語で苦労をしてきたからもう英語で仕事をしたくないと思って、特技には財務、教育、そんなことしか書かなかった。でもそういう状況で仕事を探してもなかなか面接まで行かない。履歴書で落とされる。歳だから仕方がない。でもそのうち、二か月ほど毎週ハローワークに通って担当者ともずいぶん親しくなった頃に、その担当の人がハローワークの関係の人材開発の仕事を見つけてくれた。そして、ラッキーにも面接したら通った。ぼくは面接にはつよいの。その仕事は公の資格取得のトレーニングの手伝いをする仕事で、いろんなトレーニング会場に行って会場の簡単な準備をしたり、参加者の受付をしたり講義中に眠っている人の肩をたたいたり、そんな感じ。予定表を見ると秦野の公民館とか川崎のなんとか会館とか町田市だとか、日によって会場も変わる。なんだか楽しそうな仕事だと思って、楽しみにしていた。行き帰りに本も読めるし、やっとまた仕事ができると思った。

そうしたら八月のある日、亡くなった犬のことなんか思い出しながら自転車で坂道を下っていて、見事にこけて左脚を骨折してしまった。植えこみに倒れて脚のイタミを感じたときに真っ先に思ったのが仕事のこと。その三日後から仕事をする予定でいたから。で、そのまま入院して病院から、一度も仕事をしなかった仕事先に電話を入れた。「申し訳ありません」って。結局もう仕事をするなってことなんだなって、そういうお達しなんだなって空を見上げてあきらめた。

話を元に戻すと、そのテレビでやっていた人たちはぼくのような仕事を探している失業者とは違う。仕事を探すこともできないような人たち。どうしてかと言うと、仕事を探す時間がない。仕事をしなければ、生きてゆくお金が稼げないのに仕事をする時間がない。ひとつの理由は、親の介護。親の介護のために時間をとられて仕事をやめる。お金が入ってこない。だから貧しくなる。時間もなければお金もない。そういう状態。そうなると自分は無職だから親の年金で細々と暮らすことになる。就職活動もできない。先細りになる。いつか親が亡くなってやっと働ける時間ができたときには、もう社会に適応する元気が出てこない。

たとえば十五年ぶりに就職したとしたって、ＰＣのない時代にスキルを身につけた人はすぐに仕事を始めるのがすごく大変。会社へ行って、出勤記録だってＰＣに向かってＩＤとパスワードを入れる時代になっている。出社したところからつまずいてしまう。こんな面倒な操作、誰でも適応できるわけじゃない。その時点で情けない気持ちになる。それって親の介護だけじゃなくて自分の病気や別の事情で似たような状況になる可能性はある。ふつうに仕事をしていて仕事がいやになってやめても同じような状況になることもある。

話す相手がいない

そうすると、話す相手がいなくなる。四十代、五十代の働き盛りの人たち。働き盛りっていやな言葉だけど、たしかに働き盛り。生き盛りって言葉はないけどそんな頃。どうしてそうなってしまったんだろうって、その人たちももちろん考えている。その人たちの若い頃の職場での写真が画面に映る。生き生きとしたきれいな笑顔で、留学したあとに外資系企業で働いていたり、営業仲間と笑っていたり、どこにでもいる若者で、つまり、もしかしたらこれは自分かもしれないと思えるような若者なの。きちんとレールに乗っている。それが十数年後に笑い合える人がそばにいなくなる。きれいにいなくなる。誰にも想像できない。

それを見ていて誰でもそうなるって思った。誰にも可能性はある。ちょっとした運命の行き先なわけ。男性の場合は女の人よりずっとつらいものがある。女性は自分の身のまわりや自分の面倒を見ることができる人も多いけど、男は何もしない人がいる。ゴミも捨てられなくて、ゴミ屋敷になってゴミのあいだで住んでいる人の例もテレビでやっていた。「死ぬ力もない」って訴えていた男の人がいた。そうか、死ぬことができないからそうしている人もいるんだなって、そんなつらいことも考えた。どうしたらいいのかわからないことってホントにあるんだと思った。

自分だったらどうしたろうってテレビを見ながら考えていたけど、そんなに容易に解決が見つかることってありえないわけで。みんな、その時点で一番よいと思える決断をして、結局はそうなってしまうことってあるんだろうなって思った。

歳をとるとやっぱり寂しい

もうひとつ別の話。ぼくが若かった頃、会社を勤め上げた女性がいた。その頃はまだＰＣが出始めた頃で、まだ個人で持っている人も少なくて携帯電話なんてもちろんなかった。定年で会社をやめていく人に「記念品を贈りたいんですけど、何か欲しいものがありますか」って聞くと「パソコンが欲しい」ってたいていの人が言っていた。そんな時代。退職パーティがあってその人が挨拶をしたんだけど、その挨拶をいまでも覚えている。その人の挨拶はこういうのだった。

「これで会社をやめるけど私は寂しくないの。パソコンを買って、これからメールというものを学ぼうと思っている。そうすればそばに誰もいなくても世界中の人とつながれる。そういう時代に生きているから」って、そんな内容だった。晴れ晴れとした顔をして挨拶をしていた。ぼくはそうなんだなって思いながらそれを聞いていた。

確かにメールアドレスさえあればたくさんの人とつながれる。だからその人の言うことは間違っていない。だからこれはその人に対して言うのではないけど、メールができてアドレスをたくさん知っていれば歳をとっても寂しくないかというと、そうでもないんじゃないか。やっぱり寂しい。アドレスを知っているからって用もないのにメールは送れない。送らなければ返事は来ない。あるいはかりに送る用事があってたくさんのメールを送れたとしても、それでたくさんの返事をもらったとしても、寂しくないかっていうとやっぱり寂しい。つまり、定年になって独りになったらどうあがいても寂しくなる。どうあがいてもなんだ。基本的には寂しい。でも、寂しいからって寂しい寂しいって一日中思っているのはやめたい。

自分にメールを書く

ぼくの場合は恵まれていて、こうして教室のみんなが相手をしてくれて、話を聞いてくれる。やめた会社の人たちとも時々飲んだりできて、これ以上ないくらい恵まれているけど、でもやっぱり寂しいことに違いはない。だからと言ってみんなに会うために詩の教室を毎日開くわけにはいかない。毎日開いたら誰も来てくれなくなる。じゃあふだんどうしているかって言うと、カミさん以外とは話すことなんてないわけね。夕方になったら買い物について行って、スーパーマーケットでカートを押してカミさんの後ろを歩くだけがお出かけなわけ。つまり、カミさんがいなければ誰とも接することがない。恵まれていても、根本のところはやっぱり世間と離れているし、老人って寂しい。これってどうしようもない。

以前、詩はお金にならない、生活の役には立たないって言ったことがある。詩集を出せば何十万円と出ていくけど、詩を書いてもほとんどお金は入ってこない。でも、歳をとって寂しくなって、詩ってせめてこんなとき役には立たないんだろうかって考える。つまり、避けがたく寂しいときに、いくらメールをしていても寂しいのは癒されない。それはどうしてかと言うと、

自分にあてて メールをしていないからなんだと思うわけ。いくら人にメールをしても、し終わったら独りになる。必要なのは、四六時中自分にメールをしていることなんじゃないか。わかっていると思うけど、これは本当に自分にメールをしろって言ってるんじゃないよ（笑）。

繰り返すと、自分にメールすることが大切で、それって言い換えれば「詩を書く」ことなんじゃないかって思う。歳をとれば寂しい。もちろん寂しい。すさまじく寂しい。それに違いはないけど、その寂しさを見つめて、なんとか言葉にして、言葉にしたものを自分にメールをするようにして生きてゆく。それが詩を書くことなんじゃないか。そうすれば自分のことが少しはわかる。客観視できる。寂しいのは当たり前だ、それがなんだって強がりを言える。寂しさにあてて メールを書く。自分の寂しさを見つめる。少なくとも寂しくてキョロキョロしているようなみっともないところからは出られる。

自分を見ようとすること、自分だけの言葉を発することができることって、ちょっとはマシな老人でいられるんじゃないかなと思う。どんなに友人を作っても友人の数にはかぎりがある。でも、見つめる自分にはかぎりがない。探す言葉にはかぎりがない。生き生きした時代の収入のようには詩は役に立たない。でも、稼がなくなったあとで少しは役に立ってくれる。誰でも小説家になれるわけではない。でも、誰でも詩を書くことはできる。そのわけはそんなところにあるんじゃないかと思います。

2018.6.3　横浜

忘れ去られることの尊さ　さくらももこについて

さくらももこになれない

今日は「ちびまる子ちゃん」の話から始めます。先日「ちびまる子ちゃん」の作者、漫画家のさくらももこさんが亡くなりました。ぼくはそんなにこの漫画家について詳しいわけではないし、漫画自体は読んだことがないんだけど、日曜日の夜にやっているから、アニメはたまに観ることがあった。あのアニメを観ていると考えさせられることがたくさんある。

ひとつは採り上げている題材ね。小学校の教室だったり、家のこと、友だちのことがほとんどで、誰もが経験したことのある出来事が描かれている。そこが純粋にすごい。誰もが経験したことのあることを誰もが感じるように描いて、誰もが思い出すように思い出して、それがどうして独自の作品になるんだろう。もちろん絵のタッチが寄与しているところもあるけど、それだけじゃない。特別な体験をしたわけでもなく、人とは違ったことを長年研究してきたわけでもない、人と同じような人生を送ってきたそのことで、どうして作品として際立つのかを考えるいいきっかけになる。

人が知らないことを知っているわけではなく、人が知っていることを知っている。そのことがどうしたらすぐれた作品になるんだろう。何でもないことのなかに感動があるというのは簡単だけど、でもじゃあ、何でもないことのなかってどこだろう。誰もが感じることを書く、そのことが傑作になりうるそのからくりを知っていたのかなって考えて、いやそうではなくて感じていただけなのかもしれない、書いたらそうなってしまうだけなのかもしれない。そのからくりを説明できたらみんながさくらももこになれるわけだけど、現実はそうじゃない。さくらももこになれない人で世の中あふれている。モノを作るって説明できないところに一番肝心なものがある。

『富士山』というさくらももこの本があって、でもいまどき「富士山」なんて題で、誰が本を出すんだろうって思う。「富士山」なんて、これほど手あかにまみれた言葉はないわけで、でもさくらももこが使うと、いい題だなと感じてしまう。決していい加減にしてくれよという気持ちにはならない。これまでの「富士山」とは違った「富士山」がこの世にひとつ与えられた、そんな気になる。単に「個性」っていうことでは片づけられない、創作のつらい秘密がそこには確かにある。「つらい」っていうのはさくらももこがつらいって言っているわけではなくて、さくらももこになれないぼくらがつらいって言っているわけね。

では、生まれつきさくらももこでなかったぼくらがモノを作ってゆく意味はあるのかっていうことだけど、もちろんあると思う。いくら「ちびまる子ちゃん」がすごくてもそれだけを読んで一生を過ごすわけにはいかない。創作って一面では才能のあるなしは決定的なものを示してくるけど、でもそれだけでは説明できない、そんなに単純には割りきれないものがある。それとは別に、不器用でも真摯に学んでいくところからたどり着けるものがある。それはたぶんさくらももこには書けなくて、さくらももこになれなかった人が書くべきものじゃないかと思う。

作品は生き続ける

さくらももこさんが亡くなってもうひとつ考えたことがあった。何かと言うと、ニュースでそのことを報じているときに何回か耳にしたのが「さくらさんは亡くなったけど、さくらさんの作品は永遠に生き続けます」っていう言葉。これって、才能がある人が亡くなったりものを作る人が亡くなるとよく言われる。言っていること自体は正しいんだけど、ぼくが考えたのは、ものを作る、詩を作るひとつの目的というか、なぜ詩を書くかっていうことの理由のひとつに自分が死んでも自分の作ったものは残ってほしい気持ちがあるのかってこと。

それって自分が死んでも自分の血を受け継いだ子どもが生きていれば満足するという感覚と同じなのか。ぼくの場合はどうかと言うと、そういう気持ちがまったくないと言うと嘘になるけど、すごく弱い。というか薄い。

それよりも詩を書くそのことの、そのときの喜びのほうが勝るわけ。つまり自分の詩が自分が亡くなったあとで忘れ去られてもかまわないという気持ちがある。たぶんそれってぼくだけじゃなくて、たいていの詩を書く人は同じじゃないかと思う。詩を後世に残すために書いているなんて人そんなにいない。もっといま何を無性に書きたいのかということに関心が向いている。たぶん作者が死んでしまったときに、その作品と作者の関係って徐々に薄まるんじゃないかな。

だから、永遠に読まれ続けるでしょうっていう言葉は本当だけど、さくらももこさんとその作品とは関係のない話なんだろうなと思う。だって作品が残るから作者も残るなんて考えていたら、ぼくの両親はどうなんだって話になる。別に有名でもなくてとくに後世に残す何を作ったわけでもない。でもたぶんさくらももこさんもぼくの両親も生存の価値ということで言えば何も違いがない。さくらさんの作品が残ってそれを享受する人がいることは素敵なことだけど、それとさくらさんという人とは別の問題という気がする。

誰も思い出さなくなる

話はちょっと変わるけど、人って忘れられてゆくものだって実感する。たとえばいま話したぼくのオヤジもおふくろももうだいぶ前に亡くなっていて、誰もぼくの親のことなんて思い出しもしない。でも考えてみれば、ついこのあいだまでこの世の構成物のひとつだった、この世の一部であったぼくの父と母。ついこのあいだまで商店街を歩いていた彼らがいなくなって、この世にいたということをぼく以外誰も覚えていない。そういう世の中が来てしまったって、ぼくにとってはすごい驚きなわけ。この世は依然としてあるのに、もう誰もぼくの父親と母親が実際にここにかつては生きていたんだって思い出さない。なんだかもともとどこにもなかったものと違わないことのような気がしてくる。

でも、ぼくのなかではオヤジとおふくろのことをいまでもしょっちゅう思い出している。別にそうしなければいけないってことじゃないんだけど自然と思い出す。大切なのはぼくがいまでも思い出すんだから、そうしているあいだはオヤジもおふくろも命はなくなってしまったけどこの世から忘れ去られてしまっているわけではないということ。でもそのうちぼくが亡くなったら、もうオヤジやおふくろのことを思い出す人なんてホントにどこにもいなくなるだろうと思う。それってすごく恐ろしい。恐ろしいと言ったところでどうにもならないんだけど、そのどうにもならないことが恐ろしい。ぼくがいなくなるっていうことよりもぼくが思い出している人を、もう思い出す人がいなくなることがどうにもやりきれない。

それって一般的な問題としては本当に当たり前で、忘れ去られたからどうなんだっていう問題で、粛々と忘れ去られてしまってもいいのかなとは思うわけです。忘れ去られる尊さというものが命にはあるんだということは頭ではわかる。でも一般的ではなくて、ぼくの個人的な問題としては、ぼくが死んだらぼくに思い出されていた人はもう誰にも思い出されることはなくなる、それってつらいなってそんな気がするんです。

2018.9.2　横浜

ただここにあるもの

講演会へ行く途中

今月の初めに前橋で座談会（「詩の未来へ――「現代詩手帖」の60年」二〇一九年四月二十七日－七月七日、トーク「「現代詩手帖」が始まりでした」六月八日）があってそれを聞きに行ってきました。伊藤比呂美さんの話が聞けるというので朝早くから起きて横浜から電車に乗った。横浜から前橋ってずいぶん遠いけど、いまっていろんな路線がつながっているから乗り換えは一度で行ける。高崎までは一本なの。だから高崎までの長い時間を座席に座って本を読んだりうつらうつらしていたんだけど、途中で大宮駅だったかな、電車が突然動かなくなってしまった。アナウンスがあって桶川と鴻巣のあいだで人身事故があったっていうことでした。それで事故の処理に手間取っていてなかなか電車が動かない。結局一時間くらい止まっていてまた動き出した。

家を早く出ていたから座談会にはなんとか間に合ったんだけど、前橋駅で待ち合わせをしていた人とは会えなかった。事故処理に手間取っていたのは飛びこみ自殺だったからじゃないかと思う。時々、止まっている電車の車内アナウンスがあって、移動がどうとか警察の検証がどうとか後始末に手間取っているとか言っていた。ぼくが電車のなかでうつらうつらしているときに桶川あたりで人が一人死のうと決めて、そのために足を一歩一歩動かして、重い心を携えて線路に向かっていたんだなってそのとき思ったんです。ぼくは学者ではないから勝手に考えたことしか言えないけど、人が自ら死んでいくってどういうことなんだろうってどうしても考えてしまう。考えはそっちに向かってしまう。

なぜ生きているかを考える

そんなときに決まって思い出す本があります。『ファーブル昆虫記』に、どんな名の昆虫だったか忘れてしまったけど、巣作りに夢中になっていて、その最中に、背後から自分よりも大きな昆虫がやってきて自分を襲ってくる。自然界だからそんなこともある。襲ってきたやつが自分にかみついて体を食べてしまう。ふつう、自分が襲われて、ましてや食べられてしまうような事態になったらまずはそこを逃れてまたあとで巣作りをすればいいと思う。でもその昆虫はそうしない。自分が食べられながら、ひどく痛い思いをしながら、生命を削られながら巣作りを続ける。息絶えるまで巣作りに夢中になっている。

この話を読んでぼくは切なくなってしまったんだけど、いろんなことを考えさせられた。人間にとっての本能ってなんだろう。かたや自ら死を選ぶ人間がいて、もう一方には自分が食べられても子孫のために動きをやめない昆虫がいる。どっちが偉いとかそんなことを言っているわけではない。そういうふうにできているんだなって。

ところでこの世の中にあるもの、ここにあるものっていうのは二種類に分けられる。ひとつは、自分がなぜここにいるのか考えてしまうもの。もうひとつはそんなことは考えずにただここにあるもの。ただここにあるものって、たとえば生き物ではないもの。雲や空やテーブル、なんでもいい。そこらにある石もそうだし、道も水も炎もみんなここにあるけど自分がなぜここにあるかなんて考えない。そういうのは幸せだろうなって感じるけど、じつはそんなことはないわけね。ただそこにあるだけなんだから、幸せとか不幸せとかそういうことの外側にある。幸せとか不幸せとかで計れないものをうらやむことはできない。

でも人間はそうではない。生きているとなぜ自分は生きているんだろうと考えてしまう。というか、生きていることの意味を考えることとそのことが生きているということなのだろうと思うんです。じつに妙な話だと思う。だって、生きるとは何かということを考えるために生きるなんて、なんか堂々巡りをしているみたいです。人間って堂々巡りをするために生まれてきたんだなと思う。

さっき話した昆虫は、自分がなぜ生きているかを考えているだろうか。自分の体が滅ぼうとしているのに、痛い目にあってまでなぜ巣作りをしているのか、考えるだろうか。たぶん考えないと思う。本能だから。本能って「自分がなぜ生きているのか」という問いに対する無言の答えであるわけで、そういう意味でまぎれがない。

石が、何も考えないでもここにいられるように、あの昆虫も何も考えないでも何をすべきかわかっている。人は悲しいかなそうではない。どうして生きているんだろうっていう気持ちは、明日も生きていけるっていう気持ちと明日も生きなきゃならないという気持ちがかわりばんこにくる、果てしない繰り返しでもある。そういう繰り返しの波に負けて桶川付近でひとり、その日自ら命を絶った人がいたんだなってぼくは電車のなかで考えていた。もちろんその人のことをぼくは何も知らないわけで、勝手に考えていただけのことだけど。

誰もが命の詩を書いている

その日聞きに行こうとしていたのはもちろん詩の話です。詩を書くってまさに自分はなぜここにいるのだろう、なぜ生まれてきたのだろう、自分ってなんだろう、自分には何ができるだろうという問いに対する答えをひたすら探してゆく行為でもある。

だから人であるかぎりは詩人でなくても誰しもが詩をどこかに書き続けている。詩なんか興味がない、詩なんか読んだこともないと言っている人も、生きているかぎりどうしてという問いの先にそれぞれの命の詩を書いている。人であるかぎり、じつはみんなが詩を書いている。生きているっていうことは一体何だろう。そういう詩を頭のなかでずっと書いている。詩の中心にあるものってそういうものだと思う。

どんなふうに詩の見栄えをよくするかということも意味がないとは言わないけど、詩作のもっと奥には、本来、きまじめでかけがえがなくて逃れることのできない、生きていることそのものの意味を真摯に掬い取ろうとする意志がしっかりある。詩は、だからさてこれから書くぞとわざわざ身構えて書くものではない。生きているそのことをあるがままに書くことがもっとも尊い詩になる。詩を書く人も詩を書かない人もじつは詩を書いている。そう思う。

見栄をはらない

時々ぼくは、せっかく命を与えられているのにそれを無駄にしてはいないだろうかと考えることがある。本当に読みたい本を読んでいるだろうか、本当に聴きたい音楽を聴いているだろうか。見栄をはって生きていないだろうか。立派に見えるように振る舞ってはいないだろうか。無理に背伸びをした難しい本を読んだりカッコつけた音楽を聴いたりしていないだろうか。社会に出れば人の目があるし、あるいは自分はこう見られたいという気持ちもある。いまの自分ではなくてもっとなんとかなりたいという希望もある。この世界にたったひとりで生きているわけではないから、そうすることは仕方がないとは思う。

でも、本当に自分が読みたいもの聴きたいものに身の丈を合わせて素直に費やす時間があってもいい。くだらないものでも幼稚なものでも、何も生み出さないと思われるもの、決して美しくないもの、人に見られたくないものでも、それが真に自分が読みたいもの聴きたいものなら手放さないほうがいい。それが自分を生きるということだから。誰かと比べるために生まれてきたのではないから。自分に合ったものに身を添わせる。正直になるって大切なことだし、たまにそうしていないと自分のありかが見えなくなる。

書かずにいられない

詩を書くときも同じ。背伸びして、カッコつけた詩を書こうとしない。裸で生まれてきたそのままの心が惹かれるものにこだわっていていい。赤ん坊を見ていると、買い与えた高価なおもちゃでなくても、むしろ単なるヒモ一本でも手にからませたり、空に放り投げたり、じつに楽しそうに遊んでいる。自分にとってはあのヒモが、詩を書くということだと思う。

いまの自分が書けるものをそのまま書く。そういうところにこだわっていれば、詩に血液が流れてくる。どこかの誰かから借りてきたような立派な詩を作っても仕方がない。自分をよく見せたいと思って書いた詩よりも、自分はこんなものでしかないということに目を据えた詩のほうがよっぽど人に伝わる。

裸の自分が書いた詩は、裸の心を持っている人がしっかり読んでくれる。詩の読者ってそういうものだと思う。詩の読者も、社会に出ればいやでもカッコつけたり背伸びをしたりしてつらい毎日を過ごしているのだから、家に帰って詩を読むときぐらい背伸びをしていた踵を地面に着けたい。そう思っているに違いない。

人は昆虫のように強靭な揺るぎのない本能に突き動かされることはほとんどない。でもそのかわりに自分を見つめる目を持っている。それを文字にすることができる。それがまさにぼくらの本能だと思う。書かずにいられないという思いが募ることこそがぼくらの本能。背中から食べられながら将来につなげる行為をする昆虫のように、どんなにつらいことがあっても決して死のうと思わずに一篇の詩を本能のようにして書いていける。そんな詩人になりたい。

自分の命って自分のものではない。日々の悩みに背中を食いちぎられながらも詩に駆り立てられてゆく本能。悩みとか病いとか、もちろんいろんなことがあって、ぼくがここで能天気なことを言ったところで何にもならないけど、それでも生きていることのおおもとに目を据えて、思いのかぎりを書きつくすことに生命を費やしたい。そういう本能を持って昆虫のようにひたすら書き続けたい。あるいは、命のあるなしの外で、ただここにあるものとして、どうでもいいモノのひとつとして、生まれてきた証をひたすら書き続けたい。詩を書くって生きていることの中心にある行為だと思う。そのことを時々思い出そうという話です。

2019.6.20　池袋

詩は死をどう扱うべきか

丁寧に人と接する

以前、この教室で池井昌樹さんと対談しましたが、そのテープ起こしをしながら、どうもぼくは質問をしながら池井さんを追いつめていたところがあるなと気がついた。話しているときはそんなつもりはなくて、ただ愉快に話していただけなので、気がつかなかったのですが、テープ起こしをしながらそう思いました。

なんていうか池井さんと二人で飲み屋で話しているときはそんなことはないけど、みんなの前で話をするという状況になると、池井さんに質問をしながらみんなはどんなふうに感じて聞いているだろうという意識が入ってきて、結果としてぼくの気遣いがみんなのほうへ傾いたぶん池井さんへの気遣いが減ってしまう。それで池井さんにちょっと悪いことをしたかなと思いました。

以前、子どもの頃に、ぼくは友人の気持ちを傷つけてしまったことがあるという話をここでしたことがありますが、相変わらずの自分にがく然としています。もっと丁寧に人と接しなければいけない、もっとこわごわ生きていかなきゃいけない、もっと大切に呼吸をしていかなければいけない。いつもながら反省をしています。池井さんへ向ける気遣いが別のほうへ向かってしまったという反省から思うのは、気持ちの向き方そのものを点検することの大切さです。

詩を長年書いていると、自分の詩の行き先をつい見失うことがある。本来こう書きたかった、あるいはこういうふうに書きたいというものがあるから、いま詩を書いているのに、気がつくと人の思惑や評判や見栄やなんかに惑わされて違った場所に立っている。

もちろん心境というのは時とともに変わってゆくものではあるから、志の向きが変わってしまうことは否定できない。でもやっぱりかつて詩に触れたときのみなもとの思いは時々思い出したほうがいい。詩を書いていてつらくなったとき、どうして書いたものがわかってもらえないのだろうと思ったとき、仲間の栄誉をうらやましくて悔しくなったとき、そういうときに帰るべき場所は詩を書き始めたとき、詩に出会ったときのまっさらな自分だと思う。

そもそも自分は何を書きたいのだろうというところに戻る。死ぬまでにこれだけは書いておきたいというものがあるはずで、いったいそれはなんだろうと真面目に自分に問い合わせてみる。いまあるところからいったん自分をゆるめてみる。これまで書き上げてきた詩は自分を有頂天にもし、絶望もさせてきた。みんなそうだと思います。ただその絶望が長く続くようなら、書くことがひたすらつらくなったらいったん自分をゆるめてみる。そしてもともと自分は何を書きたかったのかという地点に戻る。そこへ何度でも戻ることが、むしろ自分を成長させてゆくことにつながるのかもしれない。

詩と死

さて、今日は「詩は死をどう扱うべきか」という話です。大げさなんですけど、ぼくの話はその一部分を拾い上げて話すだけです。話を聞きながらみなさんがそこから考えを広げていってください。もちろん「死」は詩にとっては重要なテーマで、というか、詩の究極のテーマは死であると言っても言いすぎではありません。

これはこのあいだフェイスブックにも書いたことですけど、日本語って面倒で、なぜ「詩」と「死」が同じ発音なのかと思うのですが、話をするとき、聞くときにいちいち面倒だなと思う。でも、ぼくにはこの二つの語が同じ音であることに抜き差しならない理由があるような気がしてならないのです。

池井さんとの対談でも子どもの頃に「死」を意識したときの衝撃のことが話されていて、その体験が詩作に結びついているという話になりました。そのときは「自分の死」についての話でした。自分が死ぬと家族にもう会えなくなるということを意識したときの恐怖でした。もちろん死には自分の死と他人の死の二通りがあって、それが明確に別々の問題になるとは思えないけど、ぼくが今日考えたいのは主に人の死についてのことです。

こんな話をしようと思ったのは、先月この会に提出された作品のなかにお父さんの自死のことを書いた詩があったからです。その詩は、それだけを書いているわけではなくて、詩の一部としてお父さんの死んだことが書かれていたのですが、ぼくにとっては考えさせられる内容でした。「死」を思うときによく思い出される言葉があります。ずいぶん前に観たドキュメンタリー番組のなかでの谷川俊太郎さんのコメントだったと記憶しています。その番組ではイノシシが道端に死んでいて、その死についてこんなことを言っていました。

「イノシシが道端でのたれ死んでいる。ぶざまに死んでいるように見えるかもしれない。死の尊厳が踏みにじられているように見えるかもしれない。穴を掘ってあげてこのイノシシを埋めて葬ってあげたいと思うかもしれない。でもそれは人間の勝手な思いなのではないだろうか。イノシシの死の何が尊いかは人には決められない。イノシシは与えられた自らの生を生き抜いて死んでゆく。命が絶える。それまで生きてきた道端でそのまま野たれ死ぬ。それこそがイノシシの死の尊厳と言えないだろうか。」

資料がないので正確かわかりませんが、ほぼそんな内容でした。この言葉にぼくは打たれたわけです。死ぬことは個別なんだということです。ひとつの考えで複数の死をまとめ上げることはできない。あるいは別々だからすべては特別であり、それは同時に特別な死はどこにもないということではないか。すべての死は死そのもののなかにすでに尊ぶべきものがあるのではないか。すべての「死」はあらかじめ尊ばれてしかるべきものとしてあるのではないか。そこには理由はない。理屈もない。そう思ったわけです。

あるがままに尊ぶ

自ら命を絶ったその死もあるがままに尊んでいいのではないか。それがすべてではないか。それで終わりにしてもいいのではないか。なぜ自死にだけ特別な事情とか理由を見出す必要があるのか。そんなものはないのではないか。そうも思えるわけです。言い方を変えるならトシをとって命をまっとうするという言葉があるけど、若くして自ら命を絶つこともそれはそれでその人の命をまっとうしたと言えるのではないか。まわりに残された人が突然の死にうろたえて恨み、後悔し、責め、責められ、とらわれて生きていかざるをえないというのは当然あるだろう。無理に忘れる必要はないし、忘れることなんてできない。

でもさんざん考えたあとならもうその人の死は尊んでいいのではないか。年老いて人生をまっとうした人の死とまったく同じように考えてあげてもいいのではないか。生きるということの道筋は人それぞれです。同じ生を生きた人はこれまでどこにもいないわけです。それと同じように死も多様です。自死を肯定しようなどという気持ちはぼくにはさらさらありません。ましてやいじめられたあとに自ら命を絶った人をそれでいいなんていう気持ちはまったくありません。

ただ、その死を受け止める側の人のことを考えるなら、自死も死のひとつのあり方でしかないとあえて考えたい。そう考えてもかまわないのではないか。特別扱いをすることはないのではないか。いつまでもこの人は自死だったと区分けをしているのは酷なのではないか。そんなことを思っているわけです。

話が戻りますが、先月提出された詩にはお父さんが自死したありさまが書かれていました。そのことにずっととらわれている人にとってそれを書くのは当然のことかもしれません。さっき言ったように生が別々であるように、死もまた個別の物語を持っています。その人にとってのお父さんの死の物語をぼくは知りません。どんな自死にも理由がありますが、でもその理由は自死以外の死の理由と区別すべきではないのではないか。これはぼくの勝手な理屈ですし、人に押しつけるつもりはないのですが、どんな自死にも理由があると考えるよりも、どんな死にも理由があると考えたい。自分の意志で命を絶つのも、他の死と同様に条件なしの死の尊厳のうちに入れて考えたい。

死を書く

詩に身内の自死を書くというのはどういうことだろう。おそらくその死を受け入れる前に書かれた詩と、受け入れたあとに書かれた詩は大きく違ってくるのではないか。受け入れる前に書かれた詩はどうしても自分の感情の上に乗った言葉で書かれてしまう。揺れた状態で書かれてしまう。もちろんどんなふうに書こうと自由だけど、受け入れる前に書かれた詩はなかなか詩として自立が難しいのではないかとぼくは思う。作品というのはその作品だけでそこに立っているべきです。その作品がもたれかかっている思想や事情や先入観は必要ない。作品はその作品だけで存在すべき。でも現実を受け入れる前に書かれた詩は作品としてなかなか自立はできない。

受け入れるというのは、許すと言い換えてもいいのかもしれない。許すという言葉で思い出すのがひとつの新聞記事です。これはよく知られた冤罪事件なので知っていると思うのですが、河野義行さんという、松本サリン事件の被害者で、奥さんをその事件で亡くし、さらに警察やマスコミから犯人扱いをされるという二次被害を受けた人です。二〇一九年八月三日の「朝日新聞」に河野さんへのインタヴューが載っていました。この記事を震える思いで読みました。インタヴューの題は「許せるものですか?」というものです。つまりこの題に省略されている言葉を補えば、「そこまでされて許せるものですか?」ということです。そこまでというのは想像を絶する「そこまで」だったわけです。

冤罪で七人の人を殺した犯人だと日本中から目されていたときに、河野さんが子どもたちに言った言葉はこういうものでした。「人は間違うものだ。間違えているのはあなたたちのほうなのだから許してあげる。そういう位置に自分の心を置こう」。この記事はぼくにとっては驚きでした。許すという行為には果てがないのかと思いました。多くの人は、河野さんのようには振る舞えないだろうと思います。ぼくも同じです。でも、果てしもなく人を許せる人がいるのだということをこの記事を読んで知りました。

許したものを書く

受け入れることは許すことです。許せば詩は自立ができる。自立したものこそ詩なのだ。詩は、許した人が書くべきものなのではないかとぼくは思います。死んだ人が死なれた人を許し、死なれた人が死んだ人を許し、最後に死なれた人が死なれた人自身を許す。許したあとに書かれたものが十全に詩になるのではないかと思います。

すべての生が個別だし、まったく同じものはない。だから詩は書かれる。同じものがないから孤独だし、その孤独をなだめるために、同じではなくても同じようなところがあるのではないかと手を差しのべる。そのために詩は書かれる。そうならば、すべての死が個別であり、すべてが個別であるという、そのことによって特別なものなんてなく、あらゆる死を平等に受け止めて許してもいいのではないか。いったん同じものとして受け止められるからこそ、その死の個別性を冷静に作品として昇華できるのではないかと思うのです。

2019.9.1　横浜

人生の音

最期の言葉

このあいだフェイスブックに書いたのですが、台風十九号の被害のニュースを観ていたら、老齢で足が悪くて高いところへのぼれなくて、奥さんの目の前で泥水に流された男性がいた。その男性が流れてゆくときに奥さんに言った言葉が「長いあいだ　お世話になったね」というものだった。

このニュースを観たとき、ぼくはウチの奥さんと顔を見合わせた。たぶん歳をとった夫婦はたいていそうしたろうと思う。自分だったらこんな言葉が瞬時に連れ合いに言えるだろうかとか、そんなことも考えたけど、それよりももっと大事なことがある。人の生き死にの前では、というか生き抜いたことに対しては、言葉なんかどうでもいいのかもしれない。

このニュースでぼくが胸を打たれたのは、この言葉自体の衝撃もあるけど、この言葉を奥さんに言い残すことのできた生き様とでもいうのかな、そっちのほうに打たれた。生き様、といってもちろんぼくはこの男性の人生を知っているわけでもないし、この男性が奥さんとどのような日々を送ってきたのかも何も知らない。知らないけど、最後に残した言葉を聞けばまっとうに生き抜いただろう日々の想像はつく。

生まれ出て、生きていればいろんなことがある。いろんなことに出くわす。言葉もそのうちのひとつだけど、時と場合によって言葉なんてなんの役にも立たないという場面に幾度も出くわす。人一人、人生をまっとうするには言葉なんか出る幕じゃないという瀬戸際がある。何も言えないほど心細くて仕方がないときがある。せっぱつまった状況がある。どうにもならない困難なことがある。無言を強いられる場面が何度もある。詩を書いているぼくが言ってはいけないけど、「言葉こそすべて。すべては言葉から始まる」なんて、どこか大げさで嘘っぽく感じられてしまう。

現実の大きな出来事の前では、どんな言葉も発せられない。どんな言葉も無力になる。そう思う。この男性が言ったのはだから、言葉じゃなくて人生そのものの音なんじゃないか。人生の音なんじゃないか。ぼくらが詩を書くときに、頭をひねって、こねくりまわして出した言葉とは違う。決定的に違う。奥さんに対する長年の感謝と愛情そのものだと思う。言葉は気持ちの上にかぶさる単なる包装紙のようなものでしかない。

このニュースにぼくが胸を打たれたのは、この男性が気の利いた言葉を言ったからというよりも、そんな言葉が出てくるような人生を連れ合いとしっかりと過ごし、大切な人には手を伸ばせるような心持ちを持っていたことに対して。言い方を変えるなら、最後に「長いあいだお世話になったね」という言葉が出てこなくても、奥さんの目をじっと見るだけでも感謝と愛情は伝わっていただろうと思う。伝わっていたとは思うし、言葉はその思いを包む包装紙でしかないと思うけど、奥さんにとってその包装紙は、残りの生涯をときにあたたかく包んでくれるものになるだろう。その包装紙はきちんと折りたたんで、つねに持っていることのできるお守りになるだろう。詩を書くって、時に無力な言葉を扱うわけだけど、箱の中身よりも支えになることもあると思う。

生きることと書くこと

ここは詩の教室だから、より人の胸に通じる詩を書くにはどうしたらいいかということを学ぶ場であって、どんなふうに生きるか、生きたかを語り合う場所ではない。宗教団体でもないし、人生相談の場所でもない。だから生きるとは何かなんて、おこがましくて言うことはできない。でも、ぼくは書かれた詩とその詩を書いた人の生き方は離れ難く結びついたものであると思う。

もちろん、たとえば誰それという有名な詩人は、すぐれた詩をたくさん書いたけど、人間としてはひどかったとか、そういった話を聞くことはある。でもひとりの人を、人間としてはひどかったって一体誰が決められるのだろう。明らかに人を不幸に落としこんで、人をだまし人をあやめるというのは論外にしても、そうではなく、その人のやり方で一生をまっとうした人をだめな人だったかそうでなかったかなんて誰が決められるんだろう。協議をして決定できることなんだろうか。ここにいるぼくのことだって、ある人にとってはほんとにいやなヤツと思われているだろうし、無礼な人間だと思われているかもしれないし、頭にくるから会いたくもないと感じられていることもあると思う。

人と人の関係って、ひとりの人についてその瞬間を取って見れば十点を付ける人もあれば〇点を付ける人もある。人の一生ってよいか悪いかの一枚ののっぺりした板ではなくて、細々したことの、見ようによってはなんとでも見えるたくさんの集積だと思う。人間関係にしたって、こちらから見たときとあちらから見たときの印象はまったく違う。何が言いたいかって言うと、すぐれた詩を書くために言葉と正面から真剣に向かい合い、読む人に鋭く通じる詩を書いた人に、どうしようもない人がいるわけがないと思えて仕方がない。

一篇の詩は、それ自身ではでき上がらない。その詩を書き上げたヒトが必ずいる。どうしようもない人間の書いたものがヒトの胸を打つわけがない。ひとつのことに専念しないと秀でることはできない。ひとつのことに夢中になって、研鑽して、自分の文体を作り、なんとか思いを伝えたいと日々思いつめていた人を、ぼくは信じたい。そばにいる人の思いを敏感に感じられないで、どうしてすぐれた詩が書けるだろう。人の痛みをわがことのように感じることのできない人がどうしてすぐれた詩が書けるだろう。人生をともに生きてきた連れ合いに澄み切った感謝の言葉を言えずして、どうしてすぐれた詩が書けるだろう。

　だからこれはあまりにも単純で頭の固い年寄りが言うことのようでほんとは言いたくないんだけど、あえて言わせてもらうなら、生きることと詩を書くことはぴったりとくっついているんだよということ。詩を書く前にでも、書きながらでもいいけど、自分が浅ましい生き方をしていないか、つねに点検していたい。点検し、目を凝らし、自身を見つめる目こそが翻って詩に生まれ変わるのだと思う。

「長いあいだ　お世話になったね」の言葉に匹敵する詩をぼくは書けたか、なんてことはどうでもいい。大切なのは「長いあいだ　お世話になったね」の言葉に匹敵する態度と感性を貫いて、生き抜くことができたかなんだと思います。

2019.10.17　池袋

あとがき

二〇一七年に四十三年間働いていた会社を辞めました。もう六十六歳になっていました。残りの人生は小さくてあたたかな「詩の教室」をやってゆこうと思い、すぐに横浜のビルの一室で始めました。しばらくして池袋でも始め、新型コロナが蔓延してからはネットでの通信教室に切り替えて、今も続けています。その前からインターネットで「初心者のための詩の書き方」を発表していましたが、教室も「初心者のための詩の教室」としました（その後、「buoy の会」に変更）。

教室では、最初に三十分から一時間ほど話をしてから事前に送ってもらった作品の講評をしています。この本には、二〇一七年八月から二〇年九月までの四十回分（三十七日分）の内容を収録しています。講義の掲載順は時系列にはなっておらず、編集を担当してくれた藤井一乃さんが、テーマごとに読みやすくまとめてくれました（最初期のふたつの講義「ロシナンテについて」「詩の居場所」は現代詩文庫『松下育男詩集』に収録してあります）。

私にはこんなに言っておきたいことがあったのだと、教室を始めてからわかりました。「詩の教室」なのに、詩のほかにも大切なことがあるのだと力説してきました。私たちは生きるために詩を書いているのだと繰り返し言ってきました。そうすれば、詩とともに身の丈の幸せを守って生きることができるのだ、と。

本書のタイトルは、二〇一八年、一九年に表参道・スパイラルで行われた詩の教室の名前と同じにしました（私が担当したのは二〇一八年夏期、「現代詩手帖」二〇一九年四月号の特集「これから詩を読み、書く人のための現代詩入門」にそのときのことが紹介されています）。詩集『コーヒーに砂糖は入れない』に続き、お世話になった藤井さん、装幀の二月空さんに感謝いたします。モデルになってくれたわが家の文鳥、点ちゃんにも感謝の気持ちを。

二〇二二年四月

松下育男

これから詩を読み、書くひとのための詩《し》の教室《きょうしつ》

著者　松下育男《まつしたいくお》

発行者　小田久郎

発行所　株式会社　思潮社
〒一六二－〇八四二　東京都新宿区市谷砂土原町三－十五
電話　〇三－五八〇五－七五〇一（営業）
〇三－三二六七－八一四一（編集）

印刷・製本　野渡幸生

発行日　二〇二二年四月三十日　初版第一刷　二〇二二年六月三十日　第二刷